Que ideia brilhante! Sabemos que os profetas de Israel estavam constantemente envolvidos em discussões e controvérsias, algumas vezes desafiando os acomodados, outras vezes encorajando os aflitos. Portanto, por que não trazer à existência aqueles que interagiram com eles, membros da realeza e camponeses, profissionais consagrados e conspiradores políticos? A imaginação disciplinada é uma *ferramenta poderosa* para dar vida às Escrituras, e John Goldingay põe em ação sua imaginação bem informada de um modo que entretém e educa na mesma medida, tudo a serviço de ouvir a voz viva desses porta-vozes do Deus de Israel.

Christopher J. H. Wright,
Langham Partnership

Goldingay aborda os frequentemente ignorados Profetas Menores e traz clareza não apenas à sua mensagem, mas também às tensões que eles provocaram. Em vez de envolver a audiência dos profetas em falácias, Goldingay lhes dá corações que se importam e causas convincentes. Ao fazer isso, ele nos ajuda a perceber a relevância de suas mensagens para nossa vida nos dias de hoje. Uma ferramenta fabulosa para uma interação intuitiva com esses textos bíblicos menos acessíveis.

Shannon Lamb
InterVarsity Christian Fellowship USA

Hoje temos de reapresentar as pessoas ao mundo profético. E ninguém está mais preparado para fazê-lo do que John Goldingay! Ao apresentar trechos dos Doze Profetas como respostas a cartas de cidadãos, autoridades e líderes religiosos, ele nos recorda que essas palavras divinas (desconfortáveis) foram anunciadas em — e para — contextos específicos. De uma forma temporal bastante oportuna, ainda que sejam atemporais como as Escrituras, esses profetas continuam falando à vida real para desafiar o povo de Deus.

M. Daniel Carroll R. (Rodas)
Professor de Estudos Bíblicos e Pedagogia no Scripture Press Ministries,
Wheaton College and Graduate S

As cartas perdidas aos dozes profetas, de John Goldingay, é um exercício brilhante de imaginação disciplinada que amplia os Profetas Menores. Por meio dessas cartas, somos apresentados às questões e aos desafios enfrentados e como os profetas os abordavam, enquanto as pessoas tentavam compreender o que significava ser fiel em um mundo em transformação. Escritas com a inteligência e a percepção de seu próprio mundo, essas cartas também nos mostram como esses profetas continuam falando ao nosso mundo.

David G. Firth
Orientador em Antigo Testamento e
deão acadêmico, Trinity College Bristol

AS CARTAS PERDIDAS AOS DOZE PROFETAS

JOHN GOLDINGAY

As CARTAS PERDIDAS Aos
DOZE PROFETAS

DESCORTINANDO O MUNDO
DOS PROFETAS MENORES

TRADUÇÃO: DANIEL H. KROKER

Título original: *The lost letters to the twelve prophets: imagining the Minor Prophets' world.*
Copyright ©2022, de John Goldingay
Edição original de Zondervan Academic. Todos os direitos reservados.
Copyright de tradução ©2023, de Vida Melhor Editora LTDA.

Todos os direitos desta publicação são reservados por Vida Melhor Editora LTDA.

As citações bíblicas foram traduzidas diretamente de The First Testament, copyright ©2018, de John Goldingay.

Os pontos de vista desta obra são de responsabilidade de seus autores e colaboradores diretos, não refletindo necessariamente a posição da Thomas Nelson Brasil, da HarperCollins Christian Publishing ou de sua equipe editorial.

Publisher: Samuel Coto
Coordenador editorial: André Lodos Tangerino
Produção editorial: Fabiano Silveira Medeiros
Preparação: Shirley Lima
Revisão: Bruno Echebeste Saadi e Décio Leme
Diagramação: Tiago Elias
Adaptação da capa: Rafael Brum

Dados Internacionais de Catalogação na Publicação (CIP)
(BENITEZ Catalogação Ass. Editorial, MS, Brasil)

G572c   Goldingay, John
1.ed.
    As cartas perdidas aos 12 profetas : descortinando o mundo dos Profetas Menores / John Goldingay ; tradução Daniel H. Kroker. – 1.ed. – Rio de Janeiro : Thomas Nelson Brasil, 2023.
    240 p.; 15,5 x 23 cm.

    Título original: The lost letters to the twelve prophets: imagining the Minor Prophet's world.
    ISBN : 978-65-5689-805-6

    1. Bíblia. Profetas Menores – Crítica, interpretação etc. 2. Bíblia. Profetas Menores – Miscelânea. I. Kroker, Daniel H. II. Título.

10-2023/89   CDD 224.906

Índice para catálogo sistemático

1. Profetas Menores : Antigo Testamento : Cristianismo   224.906
Aline Graziele Benitez - Bibliotecária - CRB-1/3129

Thomas Nelson Brasil é uma marca licenciada à Vida Melhor Editora LTDA.
Todos os direitos reservados à Vida Melhor Editora LTDA.
Rua da Quitanda, 86, sala 601A — Centro
Rio de Janeiro — RJ — CEP 20091-005
Tel.: (21) 3175-1030
www.thomasnelson.com.br

SUMÁRIO

Prefácio 9

Introdução 13

1 *Cartas a* OSEIAS 19

2 *Cartas a* JOEL 67

3 *Cartas a* AMÓS 79

4 *Cartas a* OBADIAS 113

5 *Cartas a* JONAS 119

6 *Cartas a* MIQUEIAS 129

7 *Cartas a* NAUM 147

8 *Cartas a* HABACUQUE 153

9 *Cartas a* SOFONIAS 161

10 *Cartas a* AGEU 173

11 *Cartas a* ZACARIAS 183

12 *Cartas a* MALAQUIAS 223

Uma última carta aos profetas 237

Índice de passagens dos Doze Profetas 239

PREFÁCIO

O que levou os profetas a falar sobre as coisas que falaram? A que estavam respondendo? Se ao menos soubéssemos o que os próprios israelitas estavam pensando, vivenciando e fazendo! Se conhecêssemos as perguntas que as pessoas estavam fazendo ao profeta, suas palavras poderiam, de repente, tornar-se mais claras sem precisarmos de comentários para esclarecê-las.

Certa vez, houve um livro iluminador intitulado *Epistles to the apostle* [Cartas ao apóstolo], de Colin Morris, no qual ele imaginava cartas que as pessoas na igreja em Corinto (por exemplo) haviam escrito a Paulo, às quais Paulo estava respondendo em documentos como 1 e 2Coríntios. O pressuposto era que, sem dúvida, seria muito mais fácil compreender as respostas de Paulo se soubéssemos quais perguntas lhe foram dirigidas. Dessa forma, como seria tentarmos imaginar as cartas que as pessoas escreveram a alguns profetas, às quais eles, então, estavam respondendo?

Os profetas, de fato, escreveram e receberam mensagens escritas a eles. Jeremias trocou correspondência com exilados de Jerusalém na Babilônia (veja Jeremias 29). Portanto, neste livro tento imaginar como as pessoas poderiam ter escrito a alguns dos profetas e, especificamente, àqueles cujos nomes estão no topo dos doze livros proféticos menores, no final do Antigo Testamento — o Primeiro Testamento, como gosto de chamá-lo. Reconhecidamente, uma boa parte das "cartas" contidas neste livro envolve comunicação entre pessoas que vivem na mesma cidade. Portanto, não seja literal demais em sua interpretação quando emprego o formato epistolar.

As cartas são produto da minha imaginação, operando a partir de comentários que os próprios profetas fazem, de outros materiais no Primeiro Testamento ou de descobertas arqueológicas. Eventualmente, os autores das cartas são pessoas que conhecemos a partir de outras passagens; minha escritora favorita é a senhora Makbiram, cuja casa em Hazor, na Galileia, eu visitei. (Não há nada improvável quanto à noção de uma mulher como a senhora Makbiram no mundo israelita tomando a iniciativa de escrever uma carta; os escribas e escritores no Oriente Médio incluíam tanto mulheres como homens, de modo que ela mesma poderia ter escrito a carta ou poderia tê-la ditado a alguém.) Algumas outras pessoas nas cartas são indivíduos mencionados pelos próprios profetas — pessoas como reis e sacerdotes. Algumas vezes, os nomes que dou a pessoas aparecem em contextos prováveis de outras passagens no Primeiro Testamento. O padrão dos nomes dos profetas é comparável ao padrão de nomes que havia no passado, na Europa — em geral, as pessoas eram conhecidas por seu próprio nome, seguido do nome do pai delas. Assim, "Oseias ben Beeri" significa "Oseias, filho de Beeri", e "Gômer bat Diblaim" significa "Gômer, filha de Diblaim". Acrescentar o nome do pai é como acrescentar um sobrenome. Mas as pessoas poderiam ser conhecidas por seu local de origem (Miqueias de Moresete) ou por sua ocupação (Jônatas, o escriba).

Na sequência das cartas que representam aquilo que as pessoas poderiam ter desejado dizer aos profetas, apresento as palavras reais dos profetas que poderiam ter sido respostas a essas cartas; a tradução é minha, com base na versão *The First Testament: a new translation* [O Primeiro Testamento: uma nova tradução] (InterVarsity), com a modificação na grafia dos nomes. Após as citações, há algumas notas que lhe dirão um pouco mais sobre o pano de fundo da correspondência por mim imaginada. Se você quiser saber um pouco mais, trago mais detalhes nestes comentários:

Daniel and the Twelve Prophets for everyone (Louisville: Westminster John Knox, 2016)
Hosea to Micah (Grand Rapids: Baker Academic, 2020)
Minor Prophets II (com P. J. Scalise), cobrindo Naum, Habacuque, Sofonias e Ageu (Grand Rapids: Baker, 2012)

Sou grato a Pieter Kwant, um amigo que é também meu agente, por gerar a ideia deste livro, e a Kathleen Scott Goldingay, por seus comentários no primeiro esboço.

INTRODUÇÃO

Este livro abrange os doze profetas cujos nomes estão associados aos últimos doze livros do Primeiro Testamento. Em geral, costumamos chamá-los de *livros* proféticos, mas eles são totalmente diferentes de nossa noção de livros. Originariamente, teriam sido documentos separados e, com frequência, eu os chamo de rolos, embora tenham sido compilados em um só grande rolo e incluídos no que os judeus chamam "a Torá, os Profetas e os Escritos" e que os cristãos vieram a chamar "o Antigo Testamento".

Com frequência, os doze são chamados "Profetas Menores", mas não há nada de menor a respeito deles. É bem provável que esse título, na origem, significasse "profetas mais breves", transmitindo melhor a ideia aqui. Ao serem reunidos, em conjunto, eles têm a extensão próxima de um dos "Profetas Maiores" — ou seja, os rolos proféticos maiores que têm os nomes de Isaías, Jeremias e Ezequiel. Página por página, eles têm a capacidade de desafiar, provocar reflexão e encorajar tanto quanto os três grandes.

Aqui, abordo os doze rolos na ordem em que aparecem no Primeiro Testamento. A sequência é, em parte, histórica; em parte, não, pois não temos certeza absoluta da razão de aparecerem nessa ordem. Isso não faz muita diferença, embora a maneira como rolos específicos aparecem juntos às vezes proporcione associações interessantes. Ao abordar os rolos individuais, algumas vezes trago os capítulos na ordem em que aparecem, mas, outras vezes, vario essa ordem. No fim deste livro, há um índice que permite encontrar a análise de seções e capítulos específicos.

A história de Israel da forma como o Primeiro Testamento conta tem início com Moisés e o resgate dos israelitas do Egito, por volta de 1275 a.C., e prossegue até o resgate de Jerusalém de Antíoco Epifânio, por volta de 164 a.C., como prometido nas visões em Daniel. A vida dos profetas abarca a parte intermediária desse período. Na sequência, apresento mais um pouco de contextualização histórica.

O país que agora está ocupado por Israel e pela Palestina é a área que fora prometida a Abraão e que veio a ser ocupada como "a terra de Israel", por Davi e Salomão. No tempo deles, Israel também era o centro de um pequeno império, mas, após Salomão, ele veio a ser dividido em duas partes. O nome da parte sul, incluindo Jerusalém, era Judá. A região ao norte era muito maior, e herdou o nome de "Israel". Assim, os nomes, eventualmente, são confusos, pois Israel às vezes é o nome do povo de Deus e da terra como um todo; outras vezes, é apenas o nome da nação do norte. Com frequência, os profetas também chamam a nação do norte de Efraim, sendo menos confuso considerar as duas nações Judá e Efraim. Ambas as nações eram pequenas em comparação ao Egito, a sudoeste, ou aos poderes imperiais na região do Iraque e do Irã modernos, a noroeste: Assíria, depois Babilônia e, em seguida, Pérsia (a Assíria também deve distinguir-se da Síria). Ambas as nações ocupavam principalmente áreas montanhosas em que a vida era difícil. Cultivar alimento suficiente para comer era um trabalho árduo; conceber e dar à luz filhos era uma tarefa árdua e perigosa; as relações com os outros povos vizinhos eram um trabalho árduo; e as relações com os poderes imperiais (e o pagamento de seus tributos) eram um trabalho árduo.

Esta é a possível ordem histórica dos doze profetas:

- Jonas, Amós e Oseias atuaram em Efraim no século oitavo — os anos até a conquista assíria do país.

INTRODUÇÃO

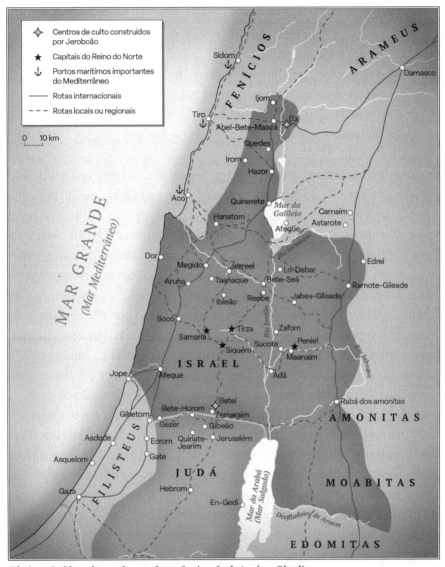

Efraim e Judá na época dos profetas Oseias, Joel, Amós e Obadias

- Miqueias atuou em Judá no mesmo século — os anos que antecederam a invasão assíria de Judá (e o mesmo período de Isaías).
- Naum, Habacuque e Sofonias atuaram em Judá no século sétimo — os anos que antecederam a conquista babilônica de Judá (e o mesmo período de Jeremias).

- Obadias atuou em Judá em meados do século sexto — os anos após a conquista babilônica (e o mesmo período de Ezequiel, embora ele estivesse na Babilônia).
- Ageu e Zacarias atuaram em Judá no final do século sexto— logo após os persas assumirem o controle no lugar dos babilônios.
- Joel e Malaquias atuaram em Judá no século quinto, e a história de Jonas foi contada no mesmo período.

No Primeiro Testamento, os rolos proféticos são, em alguma medida, antologias, no sentido de que alguns incluem as mensagens de mais de um profeta. Isaías é o exemplo mais óbvio disso. Isaías 44:28-31 menciona um imperador persa, o rei Ciro, como uma figura do presente, e não como uma figura do futuro, mas ele viveu dois séculos depois de Isaías. Portanto, houve mais de um "Isaías". Outro fato curioso é a existência de uma mensagem em Isaías 2:2-4 que também aparece em Miqueias 4:1-3. E mais um fato curioso é o Evangelho de Marcos começar com uma citação que ele afirma ser de Isaías, mas a primeira parte é, na realidade, de Malaquias. Portanto, não devemos formar pressupostos demais quando um rolo profético começa com "a palavra de Yahweh que veio ao profeta tal". Mas as questões que têm origem nesses fenômenos não devem afetar o exercício de imaginação neste livro, e eu abordarei cada rolo à luz da pessoa cujo nome aparece em seu início.

Também devo dizer algo sobre o nome Yahweh. Esse foi o nome que Deus deu a Moisés e aos israelitas para que se dirigissem a ele. Mas esse tipo de nome pode parecer ligeiramente estranho, esotérico e difícil de pronunciar, e há algum risco de se proferi-lo de forma leviana. Assim, os judeus deixaram de usá-lo e começaram a empregar, em seu lugar, a palavra comum para "o Senhor". E, com a tradução do Primeiro Testamento para outros idiomas, os tradutores usavam sua própria palavra para Senhor sempre que encontravam o nome. A maior parte das traduções em inglês [e em português] funciona dessa forma, indicando a palavra como SENHOR para podermos saber quando o texto está usando o nome Yahweh, embora, vez ou outra, use o nome Jeová (outra apresentação do mesmo nome). A desvantagem é que podemos perder de vista parte do sentido em uma passagem se não percebermos o uso do nome de Deus (imagine se nunca usássemos o nome de Jesus!). Portanto, mantenho o nome Yahweh em vez de substituí-lo.

INTRODUÇÃO

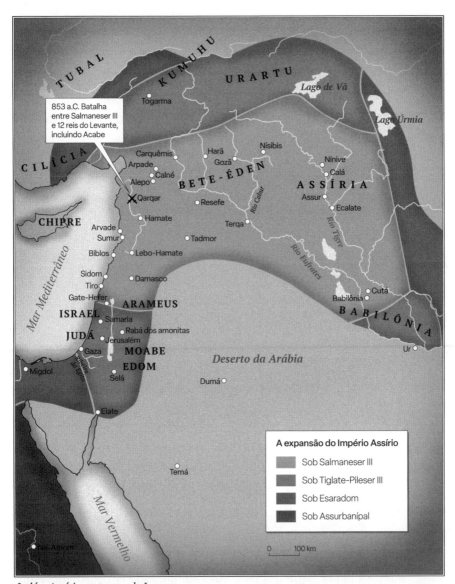

Judá e Assíria no tempo de Jonas

1

CARTAS A
OSEIAS

Oseias vem em primeiro lugar entre os doze profetas mais curtos, talvez por ser o livro mais longo. Como Jonas, Oseias era de Efraim, e não de Judá, e viveu especificamente nas últimas décadas de Efraim, antes de os assírios invadirem o país e darem fim à sua existência como nação. O período aqui é aproximadamente da década de 750 à década de 720 a.C. Oseias nos relata o motivo de esse desastre ter ocorrido. Havia razões políticas; os assírios queriam obter o controle dessa área, que era importante sob a perspectiva comercial, e Efraim desejava manter sua independência.

Mas Oseias está mais interessado nos fatores religiosos que ameaçam a vida da nação. Portanto, ele dedica seu tempo a repreender Efraim por sua infidelidade a Yahweh, o Deus de Israel, que é o Deus verdadeiro. Ele apresenta o relacionamento entre Yahweh e Israel como um casamento — um casamento segundo os moldes bem antigos, em que o marido tem o poder no relacionamento e é responsável por garantir que a família tenha o suficiente para comer. Mas Efraim depende de outros "senhores" para satisfazer às suas necessidades — o termo para esses outros deuses, Baal, significa "senhor", sendo também a palavra formal para marido como a pessoa que tem esse poder na esfera familiar. Portanto, Efraim não trata Yahweh como seu "marido". Yahweh ordena que Oseias transforme a própria vida em uma parábola encenada, com o propósito de tentar fazer Efraim perceber o que está acontecendo.

> 1:2Quando Yahweh começou a falar por meio de Oseias, disse-lhe: "Vá, tome para si uma mulher prostituta e filhos de prostituições, porque, de fato, a nação está se prostituindo e se afastando de Yahweh". 3Portanto, ele foi e tomou Gômer, filha de Diblaim.
>
> Ela ficou grávida e lhe deu um filho. 4Yahweh disse a ele: "Dê-lhe o nome 'Jezreel', porque, em pouco tempo, darei atenção ao derramamento de sangue em Jezreel que se abateu sobre a casa de Jeú. Darei fim ao reinado da casa de Israel. 5Naquele dia, quebrarei o arco de Israel no vale de Jezreel".
>
> 6Ela engravidou novamente e deu à luz uma filha. Ele lhe disse: "Dê-lhe o nome de 'Sem-Compaixão', pois não mais mostrarei compaixão para com a casa de Israel, do modo como eu tive [...].
>
> 8Ela desmamou Sem-Compaixão, engravidou e deu à luz um filho. 9Ele disse: "Dê-lhe o nome de 'Não Meu Povo', porque vocês não são meu povo e eu — eu não serei seu Deus" (1:2-9).

A capital da nação era Samaria, e Oseias menciona esse local com mais frequência do que Betel, onde se encontrava o santuário mais importante em Efraim. Assim, meu entendimento é que ele vivia em Samaria. Mas ele menciona Betel, que tinha uma história esplêndida remontando a Abraão e Sara (Gênesis 1:28; 28:10-22; 31:13). Ele também menciona Gilgal, o santuário às margens do rio Jordão que celebrava a travessia originária dos israelitas para entrar em Canaã (veja Josué 3 e 4). Ele faz diversas alusões a acontecimentos políticos de sua época sem mencionar nomes, mas algumas referências em 2Reis 13—17 e em registros assírios possibilitam conjecturarmos algumas das datas e dos nomes. A seguir, listo os reis durante o tempo dele (as datas são aproximadas). A lista nos proporciona uma noção geral de como foi esse tempo.

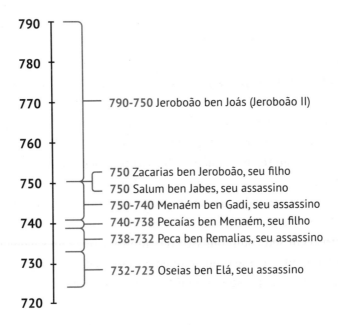

O longo reinado de Jeroboão foi próspero e estável, e em seu reino Efraim recuperou a terra que havia sido tomada pela Síria. O êxito cumpriu uma promessa de Yahweh por meio de Jonas (2Reis 14:23-29), que minha carta imaginária de Jonas a Oseias menciona. Mas, após o reinado de Jeroboão, a situação só se agravou, com os assírios se interessando em exercer mais controle da região perto do Mediterrâneo, com suas possibilidades comerciais. No tempo de Peca, isso também significou pressão sobre Judá (2Reis 16), como relata Isaías 7. Seu sucessor, Oseias, foi o último rei de Efraim: foi no seu reinado que os assírios deram fim à vida da nação, como Oseias ameaçou. (De forma irônica, o rei tem o mesmo nome do profeta Oseias.)

Nas cartas que aparecem a seguir, muitos dos outros nomes e ligações resultam de minha imaginação e de minhas conjecturas. Eles lhe proporcionam uma noção da relação entre as profecias de Oseias e os eventos de sua época, e não necessariamente significam uma proposta sobre a história exata. Uma exceção são as cartas de Maacá e Jaaziel. O contexto de suas cartas reside nas próprias palavras de Oseias em Oseias 5:8-14, que incluo nas respostas de Oseias posteriores às suas cartas.

DE — Miriam bat Gedalias, *mulher de Diblaim ben Shobab* — **PARA** Oseias

Ao meu senhor Oseias ben Beeri:

Considerei necessário escrever para lhe dizer que meu marido está assentando um depoimento juramentado junto aos anciãos da cidade de Samaria a respeito de seu relacionamento abusivo com nossa filha Gômer e os filhos dela.

Seis anos atrás, seu pai e sua mãe negociaram conosco seu noivado com Gômer. Sabíamos que você pertencia ao grupo conservador em Samaria, que é rigoroso em seu compromisso com Yahweh. Também sabemos que vocês não são muitos nesse grupo e que não seria fácil você encontrar ali uma noiva. Você sabia que somos mais tolerantes, embora estejamos comprometidos com Yahweh.

Meu marido faz parte do quadro de serviçais do rei Jeroboão e precisa participar como representante do rei nas negociações entre Efraim e outros povos, como, por exemplo, os sírios. As relações entre nós e os sírios são tensas e delicadas. Outrora, Efraim dominava a Síria, depois nos envolvemos, de forma recorrente, em conflitos com os sírios e, por fim, readquirimos o controle daquela área. Agora temos um pacto de não agressão com eles, e você sabe que as nações não podem firmar tratados sem que ambos os lados jurem fidelidade recíproca e digam "Amém" às orações uns dos outros, orações que cada um dos lados dirige à sua própria divindade. E estamos cientes do fato de que você e seus amigos conservadores não aprovam isso. Aliás, você acha que Efraim deve confiar em Yahweh, abstendo-se de firmar tratados com estrangeiros. Mas meu marido acredita que nós temos de viver no mundo real.

Você estava bem ciente de tudo isso, sabendo de que família Gômer provinha, e ainda assim fez seus pais negociarem o noivado dela com você. Estou ciente de que você acreditava que Yahweh havia ordenado que você se casasse com alguém desse contexto e que, de alguma forma, você não tinha escolha. E achamos que ela poderia torná-lo mais tranquilo e um pouco menos radical, além de mais realista em relação à vida. Não apenas estávamos errados, como também você piorou. Assim, você chamou nossa bela neta de "Sem-Compaixão". Que nome para se dar a uma criança! Sei que você não tinha em mente que ela especificamente era sem-compaixão, mas que o mesmo se aplicava aos seus dois irmãos. Mas qual você acha que será a situação dela com esse nome quando for para a escola? "Jezreel" também foi um nome esquisito para o filho mais velho. E a mensagem que você associou ao nome, sobre a calamidade que recairia sobre o rei Jeroboão como o presente membro da linhagem de Jeú, foi subversiva. A mensagem também era bastante improvável, pois o rei Jeú foi ungido pelo profeta Eliseu. Não percebe que estava contradizendo outro profeta a quem você mesmo aprova? Então, nasceu seu bebê mais recente, a quem você chamou de "Não Meu Povo". Esse foi o pior dos nomes, embora, obviamente, não seja uma descrição da criança, não como "Sem-Compaixão" parece ser.

Agora ficamos sabendo que você está ameaçando divorciar-se de Gômer. Não há base na Torá para isso. Ela não foi infiel a você. E você não está ameaçando divorciar-se dela discretamente. Você está ameaçando envergonhá-la publicamente, sendo que ela nada fez para merecer isso, exceto pela condição de ser nossa filha. Sua conduta não está em consonância com a suposta vocação de alguém que afirma ser um servo de Yahweh. E meu marido está determinado a levá-lo até os anciãos.

DE — Profeta Oseias ben Beeri

PARA — Miriam bat Gedalias

2:2 Que ela retire sua prostituição do seu rosto,
 seu adultério do meio dos seus seios.
3 Do contrário, eu a deixarei nua,
 como no dia em que ela nasceu.
Farei dela como um deserto,
 farei dela uma terra seca, eu a deixarei morrer de sede.
4 Não terei compaixão de seus filhos,
 porque são filhos de prostituição.

⁵Porque a mãe deles tem praticado prostituição;
   aquela que os concebeu agiu vergonhosamente.
Pois ela disse:
   "Irei atrás dos meus amantes,
aqueles que me dão pão e água,
   lã e linho, azeite e bebida".

⁶Portanto, aqui estou,
   obstruirei seu caminho com espinheiros,
e eu a cercarei de tal modo
   que não será capaz de encontrar seu caminho.
⁷Ela correrá atrás dos seus amantes, mas não os alcançará,
   procurará por eles, mas não os encontrará.
Então, ela dirá:
   "Voltarei ao meu marido,
   pois eu estava melhor do que agora".
⁸Ela — ela não reconheceu
   que fui eu quem lhe deu
   o trigo, o vinho novo e o azeite fresco.
Produzi uma abundância de prata para ela,
   e de ouro, que ela usou para o seu Senhor.
⁹Por isso eu tirarei
   meu trigo a seu tempo e
   meu vinho no tempo determinado.
Recuperarei minha lã e meu linho
   para cobrir sua nudez.
¹⁰Agora vou expor sua vileza
   diante dos olhos de seus amantes.
Ninguém a livrará de minhas mãos,
   ¹¹e farei cessar toda a sua celebração,
seus festivais, sua lua nova, seu sábado,
   todas as suas festas fixas.
¹²Arruinarei sua videira e sua figueira,
   sobre as quais ela disse: "Este é meu 'presente',
   que meus amantes me deram" [...]

¹³Ela se enfeitou com seu anel e com suas joias,
   foi atrás de seus amantes
   e se esqueceu de mim (declaração de Yahweh) (2:2-13).

Os ouvintes (e depois leitores) de Oseias incialmente teriam a impressão de que ele está se referindo a uma mulher que é notadamente promíscua, e isso poderia fazê-los olhar para ele ou para ela com um tom de desaprovação. É aí que eles caíram em sua armadilha, pois logo fica claro que ele está se referindo ao povo de Efraim em geral. Quando Yahweh ordena que ele se case com uma mulher maculada pela "prostituição", pela promiscuidade, isso não significa promiscuidade pessoal, no presente ou no futuro. Ela precisa apenas ser uma moça comum de Efraim, que, nessa condição, está, inevitavelmente, em maior ou menor grau, identificada com a infidelidade a Yahweh — infidelidade que caracterizaria uma família comum de Efraim. Portanto, o sentido aqui é que ela representa o povo como um todo. Eles estavam usando imagens em sua adoração a Yahweh e/ou orando para outras divindades além de Yahweh, para que os abençoassem em suas colheitas e na capacidade de procriação das mulheres. A nação também estava formando alianças com outros povos com fins políticos e estava envolvida em reconhecer as divindades desses outros povos ao estabelecer pactos com eles. Yahweh não os deixaria continuar assim. Ele os privaria das coisas que, na realidade, eram dádivas dele, reconduzindo-os de volta a ele.

DE — Gômer bat Diblaim

PARA — Oseias

Ao meu senhor Oseias ben Beeri:

Minha mãe me mostrou sua resposta à carta dela sobre mim e você, e também sobre Jezreel, Sem-Compaixão e Não Meu Povo. Agora, todos nós estamos morando novamente com meu pai e minha mãe, e eles apreciam nossa presença aqui. Você sabe como os avós são! Mas, para nós, é esquisito, e eu detesto essa situação. Jezreel já tem idade suficiente para sentir saudades de você e fazer perguntas sobre toda a situação, e você sabe como as pessoas costumam fofocar sobre uma mulher que foi expulsa por seu marido e quão cruéis as crianças podem ser com outras crianças que aparentam estar em uma situação familiar fora do comum. E, no longo prazo, quando minha mãe e meu pai estiverem velhos ou já tiverem falecido e a família estiver debaixo da liderança dos meus irmãos, todos nós ficaremos em posição vulnerável.

Meus pais encontraram um homem que está disposto a me tomar como sua segunda esposa. A mulher dele não conseguiu ter filhos, e ele sabe que eu posso engravidar (obviamente, talvez, no fim das contas, o problema esteja com ele!). Sua esposa, claro, está magoada pelo fato de ele precisar tomar outra mulher, mas eu me dou bem com ela e vice-versa. Meus pais acham que ele é um bom homem e que nos tratará de forma sensata e tratará meus filhos como seus próprios. Mas eu não espero por isso. Ele já lhes deu o dote de casamento, mas ainda não está tudo totalmente selado e colocado em prática.

E eu amo você e ainda não entendo realmente o motivo de você nos haver expulsado. Sei que você considera a mim e minha família impuros por estarmos dispostos a ir aos deuses nos santuários e pelo fato de meus pais terem orado aos deuses com a esperança de que eu nascesse. E eles então oraram por um parto seguro para mim e minha mãe, e suas orações aparentemente foram atendidas. Mas você não poderia compadecer-se de nós agora? Você já esclareceu sua posição sobre fidelidade a Yahweh. A propósito, acaso não seria necessário transmitir uma mensagem sobre a própria fidelidade de Yahweh? A despeito do nome que você deu à sua própria filha, Sem-Compaixão, Yahweh, no fim das contas, é um Deus que se caracteriza pela compaixão. Minha mãe e eu estivemos pensando sobre sua exigência de nos comprometermos exclusivamente com Yahweh, em sentido estrito. Não estou certa de que meu pai será capaz de tolerar essa ideia (de qualquer forma, isso não é razoável para ele, como alguém que faz parte do quadro de serviçais do rei). Mas minha mãe e eu conseguimos perceber que você talvez esteja certo, e eu estaria disposta a me comprometer com você e com Yahweh dessa maneira.

DE .... **PARA**
Profeta Oseias ben Beeri   Gômer bat Diblaim

³:¹Yahweh também me disse: "Vá, ame uma mulher que é amada por outro e que comete adultério — como é o amor de Yahweh pelos israelitas, embora eles estejam se voltando para outros deuses e amem bolos de uvas passas. ²Por isso eu a comprei por quinze peças de prata, um barril e meio de cevada. ³Eu lhe disse: "Você viverá comigo por muito tempo. Você não se prostituirá; não pertencerá a nenhum outro homem. E eu também serei assim para você". ⁴Pois os israelitas viverão por muito tempo sem rei, sem líder, sem sacrifício, sem coluna, sem éfode ou efígies. ⁵Depois disso, os israelitas voltarão e recorrerão a Yahweh, seu Deus, e a Davi, seu rei. E nos últimos dias se aproximarão tremendo de Yahweh e de sua bondade (3:1-5).

⁴:¹³No alto dos montes, eles sacrificam,
    nas colinas eles queimam incenso,
debaixo de carvalhos, de álamos e terebintos,
    pois a sombra é agradável.
Por isso suas filhas se prostituem,
    suas esposas cometem adultério.
¹⁴Não castigarei suas filhas por se prostituírem,
    nem suas esposas por adulterarem.
Porque os próprios homens se associam a prostitutas
    e participam de sacrifícios com prostitutas cultuais,
    e um povo sem entendimento precipita-se à ruína (4:13,14).

²:¹⁴Irei atraí-la,
    vou levá-la para o deserto e
        falarei ao seu coração.
¹⁵Ali lhe darei videiras,
    o Vale dos Problemas como a Porta da Esperança.
Ali ela me responderá como nos dias de sua juventude,
    como no dia em que subiu da terra do Egito.
¹⁶Naquele dia (declaração de Yahweh), ela me chamará
        "Meu Homem";

não mais me chamará "Meu Senhor".
¹⁷Tirarei os nomes dos senhores de seus lábios;
   eles não mais serão mencionados por seus nomes [...]
¹⁹Eu ficarei casado com você para sempre,
   casados você e eu com fidelidade e com
      o exercício da autoridade,
com compromisso e com compaixão,
   ²⁰eu a casarei comigo em verdade [...]
²³Terei compaixão de Sem-Compaixão,
   e chamarei a Não Meu Povo "Meu Povo"
   e ele responderá "Meu Deus" (2:14-20,23).

TEXTO EM CONTEXTO

As palavras severas sobre os pais e maridos de Efraim e sobre as filhas e as esposas deles deixam ainda mais claro que o objeto desse ataque não são as mulheres de Efraim, certamente não apenas elas. De forma paradoxal, Gômer representa os homens. Eles precisam ver a si mesmos nela. Eles são aqueles que definem as diretrizes religiosas e políticas em Efraim, aqueles que têm a reponsabilidade de encorajar práticas nas quais as mulheres da comunidade devem orar a divindades diferentes de Yahweh quando desejam engravidar e ter um parto seguro. Os homens veriam a si mesmos como membros corretos da comunidade. Na realidade, segundo Oseias, eles próprios estão envolvidos em adultério. Os homens são como prostitutas. Mas a ameaça apresentada por Yahweh de expulsá-los de sua presença não é o fim da história. Sua disposição a recebê-los de volta é encenada por Oseias ao receber Gômer de volta em vez de entregá-la a outro homem que gostaria de se casar com ela. Agora ela deve ser irrevogavelmente fiel a ele, e ele será irrevogavelmente fiel a ela. E esse será um reflexo do relacionamento entre Yahweh e Efraim.

DE ───────────────────── **PARA**

Libni ben Amran, Oseias
sacerdote em Samaria

Ao meu senhor Oseias ben Beeri:

Meus irmãos sacerdotes e eu escrevemos para apresentar algumas observações sobre seu ministério aqui em Samaria. Apreciamos sobremaneira sua crítica a pessoas como os assírios. Em um contexto no qual estamos debaixo da pressão de poderes imperiais como eles, sentimo-nos encorajados quando você assegura ao povo de Efraim que Yahweh não tolerará os povos do mundo para sempre, em sua falta de honestidade para conosco, em sua falta de compromisso em relação a nós e no fato de se recusarem a reconhecer Deus. A partir de alguns relatos trazidos a nós por nossos mercadores e diplomatas, sabemos que a vida dos assírios está assolada por fraude, logro, roubo, adultério e violência. Foi um conforto ouvirmos você afirmar que Yahweh trará seu juízo sobre eles.

Por outro lado, temos de protestar contra a crítica que você faz, ao nos acusar como sacerdotes. Somos os servos designados de Yahweh e de seu povo em Efraim. Nossos pais, avós e ancestrais têm servido a Yahweh e ao seu povo há mais de dois séculos. Algumas pessoas acreditam que você é apenas um pregador autodesignado e um estagiário que acabou de chegar. Pensamos que você não tem direito algum de comentar sobre nosso ministério da forma como tem comentado, e que deveria parar com isso. E estou me dirigindo não apenas a você, mas também ao pequeno grupo de iniciantes pretensiosos que o apoiam. Você diz que o espírito desce sobre você. Algumas pessoas dizem que você é apenas um louco. Você nos classifica como insensatos e irresponsáveis, e não acredita no ensino que transmitimos às pessoas e no conselho que apresentamos à administração. Dizemos que você é lerdo por causa da posição despreocupada, negligente e quietista que você recomenda, sugerindo que podemos, de uma forma responsável, não fazer nada e deixar os assírios esmagarem Efraim sem assumirmos responsabilidade alguma diante de Deus por nosso destino. Você diz que recebeu visões de Yahweh, mas você não é o único a fazer afirmações desse tipo — e dizer que recebeu visões não prova nada. Alguns dos supostos visionários de Efraim são aqueles que estimulam os conflitos políticos internos, os golpes e os assassinatos que temos experimentado como nação e que você corretamente lamenta.

A nação precisa da estabilidade e do respeito pela lei que a ordem sacerdotal apoia. Não espere que simplesmente fujamos diante de um ataque. E, em prol da nação, asseguraremos que você e seus amigos sejam detidos. Se vocês não temem por si mesmos, saibam que também asseguraremos que a família de vocês sofra.

DE
Profeta Oseias ben Beeri

PARA
Libni ben Amran,
sacerdote em Samaria

4:6Meu povo está acabado
   por falta de reconhecimento.
Uma vez que vocês rejeitaram o reconhecimento,
   eu os rejeitarei como meus sacerdotes.
Vocês esqueceram a instrução de seu Deus;
   eu também esquecerei seus filhos.
7Quando eles se tornaram muitos, aí erraram contra mim;
   eu trocarei sua honra por desprezo.
8Eles se alimentam do mal cometido por meu povo;
   e dirigem seu apetite à sua desobediência.
9Assim será: tal povo, tais sacerdotes;
   eu lhes darei a recompensa por isso (4:6-9).

5:4Suas práticas não lhes permitem
   voltar para seu Deus.
Pois há um espírito de prostituição no meio deles,
   e eles não reconhecem Yahweh.
5A majestade de Israel testificará contra isso;
   assim, Israel e Efraim desmoronarão por causa da
   sua desobediência [...]
6Eles podem sair com seu rebanho
   e seu gado,

para procurar Yahweh.
Mas não o encontrarão — ele se afastou deles;
    [7]eles violaram a confiança de Yahweh.
Pois deram à luz filhos estranhos,
    a lua nova agora devorará a parte deles (5:4-7).

[9:7b]Israel precisa reconhecer isso, embora o profeta seja estúpido,
    e a pessoa do espírito seja louca,
por causa da abundância de sua desobediência,
    de sua hostilidade abundante.
[8]Um profeta, junto ao meu Deus,
    é uma sentinela que vigia Efraim.
Há um laço de caçador em todos os seus caminhos,
    animosidade na casa do seu Deus.
[9]Eles se aprofundaram na devastação, como nos dias de Gibeá;
    ele se lembrará de sua desobediência, ele
        punirá o mal que cometeram (9:7-9).

TEXTO EM CONTEXTO

A parte inicial da carta do sacerdote reflete observações que Oseias havia feito sobre o mundo em geral (4:1-3), mas esses comentários eram uma preparação ou uma forma de chamar a atenção antes de Oseias acusar os sacerdotes, e toda a Efraim, de não "reconhecerem" Yahweh. Em geral, esse verbo central significa simplesmente "conhecer", mas "conhecer (saber) a verdade" não é uma questão de compreensão teológica, e "conhecer a Deus" não é uma questão de ter relacionamento íntimo ou empatia do coração. Esse "conhecimento" envolve um reconhecimento que, por sua vez, implica compromisso de vida. A vocação dos sacerdotes como pastores e mestres consiste em conduzir as pessoas ao reconhecimento de Yahweh, por meio de sua vida e de seu ensino, mas eles não estão executando essa vocação. Assim, na prática, eles estão impedindo seu povo de voltar para Yahweh. Eles encorajam as pessoas em sua prostituição em vez de chamá-las de volta, e as estão estimulando a orar a deuses estrangeiros pela dádiva de ter filhos. Dessa forma, eles veem um profeta como Oseias, sobre quem o espírito de Deus vem, como um louco. *Com certeza estou louco*, diz Oseias. *A combinação da mensagem de Yahweh com a atividade de vocês me deixa louco. Minha tarefa como profeta é ser sentinela, advertindo meu povo do perigo que está vindo, mas eles se recusam a prestar atenção. Em vez disso, eles tentam armar uma armadilha para me pegar; eles mostram hostilidade contra mim.* Em outras passagens, Oseias é negativo em relação aos reis de Efraim, e "os dias de Gibeá" poderiam ser os dias em que Israel designou um rei pela primeira vez (9:9; veja 1Samuel 8—15).

DE Maacá bat Ammiel em Gibeá **PARA** Oseias

Ao meu senhor Oseias ben Beeri em Samaria:

Você não nos conhece, mas minhas irmãs e nossos filhos estiveram no pátio do templo durante a festividade em Betel e ouvimos você descrever suas visões de uma invasão que poderia vir da Assíria — ou talvez de Judá. Ficamos muito assustados. Aqui estamos nós, vivendo e celebrando em Betel, perto da fronteira com Judá, e você descreveu Judá nos invadindo, até mesmo durante a festividade. A festa deles ocorreu um mês antes da nossa, obviamente, de modo que pudemos imaginá-los fazendo sua festa e se animando para sua investida contra nós. Seria astuto atacar-nos quando nós mesmos estivéssemos em nossa festa e os homens estivessem sob os efeitos da bebida.

Você falou como se o alarme precisasse ser tocado agora, nos outros lugares próximos da fronteira, lugares que seriam mais vulneráveis à invasão de Judá, lugares como nossa propriedade perto de Gibeá. Uma invasão significaria irmos dormir como efraimitas e acordar como judaítas. Ou significaria irmos dormir como pessoas que têm a própria porção de terra e acordar como pessoas que foram expulsas de sua terra, então tomada por invasores ambiciosos de Judá. Ou significaria irmos dormir como homens livres e acordar como homens que não têm sua liberdade, desprovidos de seus meios de vida.

Foi engraçada e esperta, mas alarmante, a comparação que você fez entre os líderes desprezíveis de Judá e homens saindo às escondidas à noite para mover as demarcações entre a terra de sua família e a terra de outra família, com o fim de aumentar sua propriedade, e também fomos encorajados por sua promessa de que eles pagarão por isso. Mas isso não nos ajuda muito em relação à perspectiva de eles, de fato, fazerem isso conosco. Também foi engraçada e esperta, mas assustadora, sua caracterização de Yahweh como uma traça. Nós, mulheres, sabemos como as traças devoram as roupas da família, até mesmo a vestimenta que estamos costurando com algodão ou linho antes de chegarmos a transformá-los em algo. Foi menos engraçada e simplesmente assustadora sua afirmação de que Yahweh era como um leão ou um puma, sugerindo que o que, na realidade, devemos temer não é um ataque dos judaítas, mas, sim, um ataque desse leão.

Obviamente, o que nós, em Efraim, estamos inclinados a fazer é firmar nossas alianças com os sírios ou os assírios para nos proteger. Mas, quando minhas irmãs e eu falamos a esse respeito enquanto os homens estavam descansando, depois de se banquetear e beber, começamos a reconhecer a possibilidade de você estar certo quanto ao fato de eventuais alianças serem capazes de nos proteger de Judá, mas não de Yahweh. Portanto, nossa pergunta é: o que devemos fazer?

DE — Profeta Oseias ben Beeri **PARA** — Maacá bat Ammiel em Gibeá

5:8 Toquem uma corneta em Gibeá,
    uma trombeta em Ramá.
Deem um grito em Bete-Áven,
    atrás de você, Benjamim.
9 Efraim se transformará em desolação
    no dia da sua reprovação.
Contra as tribos de Israel,
    tornei conhecido algo confiável.
10 (Os líderes de Judá são como aqueles que mudam uma demarcação;
    derramarei sobre eles minha ira como água.)
11 Efraim está oprimido, esmagado pelo exercício de autoridade;

porque resolveu ir atrás da imundície:
¹²Sou como uma traça para Efraim,
   como podridão para a casa de Judá [...]
¹⁵Eu irei embora, voltarei ao meu lugar,
   até que eles efetuem restituição e busquem a minha face;
   em sua necessidade, eles me buscarão urgentemente:
⁶:¹"Venham, voltemos para Yahweh,
   pois ele nos despedaçou, mas ele pode nos curar.
Ele fere, mas ele pode sarar nossas feridas;
   ²ele pode nos dar vida novamente depois de dois dias.
Ao terceiro dia, ele pode nos levantar,
   para podermos viver diante dele.
³Quando reconhecemos, buscamos o
       reconhecimento de Yahweh,
   e, como o alvorecer, sua vinda é certa.
Ele virá para nós como as chuvas,
   como as chuvas de primavera que regam a terra" (5:8-12; 5:14—6:3).

¹⁰:¹²Semeiem a fidelidade para si mesmos,
   colham conforme a sua lealdade,
   arem o solo arável para si mesmos.
É hora de buscar a Yahweh, até que ele venha,
   e faça chover fidelidade sobre vocês (10:12).

¹³:¹⁴Do poder do Sheol, eu poderia redimi-los,
   da morte, eu poderia regatá-los.
Onde estaria seu flagelo, ó morte?
   onde estaria sua destruição, ó Sheol? (13:14)

TEXTO EM CONTEXTO

A exortação sobre tocar a trombeta é a advertência que Maacá mencionou. Essa exortação conduz à resposta de Oseias à pergunta de Maacá sobre o que as pessoas precisam fazer, e ele enfatiza o verbo "reconhecer". A exortação sobre semear fidelidade substitui a linguagem de reconhecimento por uma metáfora; então, a menção a buscar Yahweh apresenta de novo a realidade literal às pessoas. E a declaração sobre Yahweh ser capaz de resgatar do Sheol reformula a referência anterior sobre dar novamente a vida. Sheol é o nome do lugar para onde as pessoas vão ao morrer — não é um lugar de sofrimento ou castigo, mas tão somente um lugar de descanso (forçado!). Yahweh mostra que ele poderia poupá-los de ir para o Sheol antes de sua hora.

DE ———————————————————————————— **PARA**
Jaaziel ben Zacarias, Oseias
secretário de Estado em Samaria

Ao meu senhor Oseias ben Beeri:

Ouvi você pregando na praça da cidade e proclamando uma mensagem crítica contra o rei Menaém e suas políticas. Embora eu faça parte do quadro de serviçais do rei, isso não significa que eu não possa examinar questões políticas de mais de um ângulo, e meu desejo é expressar de forma aberta, mas confidencial, minha maneira de ver a situação em Efraim. O próprio rei acredita em liberdade de expressão e não planeja adotar medidas para impedi-lo de pregar. Mas temo que ele não vá adotar essa postura para sempre, e eu gostaria de explicar minha forma de entender as políticas do governo, na esperança de que você venha a perceber que elas fazem mais sentido do que você sugere e que, em um contexto que demanda compromisso, são em benefício da nação.

Durante a maior parte de nossa vida, estivemos livres do domínio da Assíria e, portanto, livres da obrigação de pagar tributos ao Império. Foi um tempo de prosperidade. Tivemos a felicidade de o grande rei Jeroboão ben Joás reinar durante todos aqueles anos de segurança e prosperidade. Mas, então, Zacarias ben Jeroboão reinou por apenas seis meses antes de ser assassinado por Salum ben Jabes. De certo modo, não podemos culpar Salum pela ação empreendida por ele — é possível perceber os argumentos que o levaram a empreendê-la. O rei Jeroboão havia sido afortunado, pelo fato de os assírios estarem "adormecidos" durante a maior parte de seu reinado. Mas Tiglate-Pileser assumiu o poder na Assíria, e tudo indicava que os assírios se interessariam mais por povos como nós na rota comercial para o Mediterrâneo e o Egito.

O problema era que Zacarias pensava da mesma forma que seu pai: fique sentado, quietinho, e espere pelo melhor. Salum acreditava que temos de enfrentar os assírios, e a política que ele queria implementar era a seguinte: "Vamos nos aliar aos sírios contra a Assíria". Em geral, o restante do exército não concordava com ele. Eles consideravam essa política fatalmente perigosa para Efraim, e sua majestade, o rei Menaém, concordou com eles. Portanto, ele acreditava que Salum tinha de ser eliminado, e empreendeu negociações secretas com os assírios para averiguar qual seria o preço de seu apoio. Dessa forma, Salum permaneceu por apenas um mês no poder antes de o rei Menaém assassiná-lo.

De uma perspectiva política, tanto Salum como sua majestade, o rei Menaém, estavam parcialmente corretos. Tiglate estava, de fato, começando a se interessar por nós, mas sua majestade, o rei Menaém, foi capaz de suborná-los. A desvantagem é que isso significa que precisamos pagar tributos, de modo que todas as famílias que aparentavam estar em uma ótima situação tiveram de pagar algo além dos tributos regulares para cobrir os custos da administração de Samaria. Essa situação deu fim às décadas em que as pessoas conseguiam fechar as contas de uma forma relativamente fácil e deu início a um período economicamente mais difícil até mesmo para as pessoas que estavam bem. E não há nada que sugira o fim dessa situação. Mas pelo menos o golpe de sua majestade deu início a um período de estabilidade na nação, após Zacarias e Salum. Na minha visão, essa nova situação possibilita vivermos no "menos ruim" dos mundos possíveis neste momento.

DE ——————————————— PARA
Oseias ben Beeri   Jaaziel ben Zacarias,
                         secretário de Estado em Samaria

5:13Efraim viu sua enfermidade,
   Judá viu suas chagas.
Efraim foi para a Assíria,
   enviou ao rei que contestaria.

Mas esse homem não tem condições de curar vocês;
   ele não os sarará de uma chaga.
¹⁴Pois eu serei como um leão para Efraim,
   como um puma para a casa de Judá.
Eu, eu pessoalmente, irei despedaçá-los,
   e levarei todos que puder levar,
   sem que ninguém possa livrá-los (5:13,14).

⁸:⁸Israel foi devorado
   e agora se tornou entre as nações
como um objeto que ninguém deseja,
   ⁹pois eles foram para a Assíria.
Como um jumento selvagem que vagueia sozinho,
   Efraim se vendeu para seus amantes.
¹⁰E, embora se tenham vendido entre as nações,
   agora os ajuntarei.
Eles se debateram por um pouco
   por causa da opressão (rei, líderes) (8:8-10).

⁵:¹ᵇEscute, casa do rei,
   pois a vocês pertence a autoridade.
Pois vocês têm sido uma armadilha para a Torre de Vigia [Mispá],
   vocês estenderam uma rede sobre o monte Tabor (5:1b).

⁸:¹⁴Israel esqueceu seu criador
   e construiu palácios,
   (e Judá construiu muitas cidades fortificadas).
Eu enviarei fogo sobre suas cidades,
   e esse fogo consumirá suas fortalezas (8:14).

Em diferentes momentos no tempo de Oseias, a Assíria, como a potência a nordeste, e o Egito, como a potência a sudeste, foram ou uma ameaça a Efraim ou uma possível fonte de apoio. Portanto, para Oseias, às vezes essas potências são agentes de Yahweh para disciplinar Efraim; outras vezes, são falsas fontes do auxílio que, na realidade, Efraim deveria buscar em Yahweh. Oseias não tem nenhuma simpatia pelo dilema de Jaaziel. Depender da Assíria não resolverá os problemas de Efraim, em especial pelo fato de Yahweh ser, na realidade, a fonte desses problemas. Jaaziel, seus companheiros e seu senhor, o rei Menaém, são a fonte de opressão do povo deles. O rei e seu séquito deveriam ser aqueles que exercem a autoridade governamental apropriada em Efraim, mas, em vez disso, eles mesmos têm sido uma armadilha e uma rede de caça para a nação, em parte por fazer o que aparentava ser o politicamente correto. Mispá ao sul e Tabor ao norte talvez fossem santuários que abrigavam as reuniões com as equipes de negociação de outras nações, onde se faziam os acordos — lugares, portanto, em que os políticos de Efraim participavam de cerimônias religiosas ilícitas como parte de sua diplomacia.

DE ——————————————— PARA
Editor da *Gazeta de Samaria*   Oseias

Ao meu senhor Oseias ben Beeri:

Estamos lhe enviando uma cópia antecipada deste texto que exprime uma opinião que recebemos. Você sabe que nossa política é publicar uma variedade de opiniões sobre temas importantes para a nação, mas a visão aqui é explosiva. Ficaríamos satisfeitos em receber seus comentários para eventual publicação.

Há instabilidade política demais em Efraim? Uma das melhores coisas referente a Efraim é que não estamos presos à posição de uma monarquia hereditária como os habitantes de Judá. Embora os habitantes de Judá possam escolher qual membro da família real será seu próximo rei, eles não têm controle algum sobre a família da qual ele (ou até mesmo ela) procede. O rei tem de ser da linhagem de Davi, e os membros dessa família com frequência são incompetentes. Aqui em Efraim, quando consideramos que a família real é irremediavelmente incompetente, podemos optar por outra família real.

Mas a frequência e a violência associada com que temos feito isso nas últimas décadas são excessivas. Após o grande rei Jeroboão ben Joás, passaram-se somente seis meses até que seu filho Zacarias ben Jeroboão fosse assassinado por Salum ben Jabes. Ele permaneceu no poder por apenas um mês, até haver mais um golpe militar e Menaém ben Gadi assassiná-lo. O golpe de Menaém inaugurou uma década de paz e tranquilidade na nação, mas seu filho Pecaías não foi tão afortunado assim. Ele reinou em Samaria por apenas dois anos após a morte de seu pai. Talvez tivesse chegado a hora de uma mudança na política. Seja como for, Pecaías foi assassinado por Peca ben Remalias.

Como costuma acontecer, o golpe foi produzido por forças no exército, mas algumas fontes sugerem que políticos civis também estiveram envolvidos — como, em geral, ocorre. Isso significa que Peca renegou seu juramento de lealdade ao rei Pecaías e, portanto, renegou também um juramento já feito diante de Yahweh. Ele conspirou com cinquenta homens do outro lado do Jordão, de Gileade. Algumas fontes dizem que eles deslizaram as montanhas em direção ao rio Jordão, atravessaram no vau em Adão, a vinte quilômetros ao norte de Jericó, e desse ponto em diante subiram, sem chamar a atenção, as montanhas de Samaria e mataram Pecaías. Relatos dizem que eles também contaram com a cooperação de alguns sacerdotes, que, desse modo, também estavam renegando o juramento feito diante de Yahweh, quanto a serem fiéis ao rei. Supõe-se que os gileaditas seriam contrários à política em prol da Assíria que Pecaías havia herdado de seu pai e que eles também se sentiam vulneráveis em relação aos seus vizinhos sírios.

Portanto, essa mudança de governo resultou em novos desdobramentos na política estrangeira de Efraim, relações mais fortes com os sírios e colaboração na resistência à expansão da influência assíria. Isso também tem consequências para Judá, pois Efraim e Síria desejam envolvê-los na resistência à Assíria.

A pergunta é: quando vamos dar um basta nisso?

DE — Profeta Oseias ben Beeri

PARA — Editor da *Gazeta de Samaria*

⁶:⁴O que farei com você, Efraim,
  O que farei com você, Judá?
Pois seu comprometimento é como a neblina da manhã,
  como o orvalho que evapora às primeiras horas.

⁵Por isso eu os derrubei com meus profetas,
  eu os matei com as palavras da minha boca;
  com juízos contra vocês que sairão como a luz.
⁶Pois eu desejava comprometimento, e não sacrifícios,
  reconhecimento de Deus mais do que
    holocaustos.
⁷Mas eles, como em Adão, quebraram a aliança;
  ali eles violaram a confiança comigo.
⁸Gileade é uma cidade de pessoas que causam problemas,
  trilhada de sangue.
⁹A companhia de sacerdotes
  é como bandos de assaltantes à espera de alguém.
Na estrada de Siquém, eles cometem assassinatos,
  e cometem maldades deliberadas.
¹⁰Na casa de Israel eu vi uma coisa terrível:
  ali está a prostituição de Efraim.
Israel ficou contaminado (Judá também);
  ele determinou uma colheita para vocês (6:4-11a).

⁸:¹¹Porque Efraim construiu muitos altares para cometer o mal;
  por essa razão, eles se tornaram altares para transgressões.
¹²Embora, por isso, eu escreva muitas coisas em minha instrução,
  elas foram consideradas coisas estranhas.
¹³Embora eles me ofereçam sacrifícios como ofertas,
  e comam carne,

Yahweh não os aceita;
   agora ele se lembrará de sua desobediência.
Ele os castigará pelo mal que cometeram;
   essas pessoas — elas voltarão para o Egito (8:11-13).

Oseias apresenta seu próprio relato do golpe, que é uma expressão da preferência das pessoas por cultuarem a ação política e participarem dela em vez de reconhecerem Yahweh e se comportarem com fidelidade. Em outras palavras, seus compromissos políticos envolvem culto porque eles fazem juramentos diante de Deus, mas, então, empregam ação política, o que contradiz sua aliança, sendo, portanto, infiéis ao juramento feito no culto. Portanto, seu compromisso com Yahweh não produz nada, não sendo nem um pouco mais produtivo do que as nuvens da manhã, as quais não produzem chuva alguma. E quebrar seu juramento é um aspecto da prostituição no sentido de infidelidade. Essa é a razão para Deus usar um profeta como Oseias para declarar que a desgraça está vindo, iniciando sua própria ocorrência ao anunciá-la. A luz sairá para eles. Yahweh se pergunta o que lhe resta fazer. Dar-lhes mais ensino e mais instrução não o leva a lugar algum. Portanto, Yahweh agora apresenta um lamento como uma nova tentativa de produzir alguma lucidez neles.

DE — Editor da *Gazeta de Jerusalém*   **PARA** Oseias

Ao meu senhor Oseias ben Beeri em Samaria:

Estamos lhe enviando uma cópia antecipada dessa reportagem. Ficaríamos contentes em receber seus comentários para serem publicados.

Mais um golpe militar em Samaria. Autoridades em Jerusalém estão tendo dificuldades para esconder sua satisfação com a notícia do assassinato do rei Peca ben Remalias, em Samaria. Não faz muito tempo que Peca e Rezim, o rei sírio, apareceram em Jerusalém com um contingente considerável para pressionar o rei Acaz a se juntar a eles na declaração de independência da Assíria, sob a ameaça de que, se o pedido não fosse atendido, poderiam depor o rei. Agora está claro para nós que Peca não estava tão seguro assim em seu próprio trono. O fato é que a história passada em Efraim certamente deveria ter deixado isso claro para ele. A sabedoria na recusa do rei Acaz a se juntar a Efraim e à Síria no enfrentamento da Assíria foi vindicada pela invasão assíria de Efraim, que envolveu anexar a maior parte do norte e do oeste do país, reduzindo Efraim a uma sombra do que havia sido. Não é difícil perceber a razão de Peca ter se tornado vulnerável a um golpe.

Dessa forma, como é costumeiro em Efraim, as pessoas que juraram lealdade a Peca renegaram seu juramento. A única surpresa em relação a esse golpe é o fato de Peca não haver percebido e de não ter ficado mais atento, visto que ele mesmo era um assassino experiente, mas, aparentemente, as pessoas desse tipo desenvolvem uma espécie de percepção de sua própria invencibilidade.

Parece que os conspiradores estavam formando um conluio há algum tempo, mas, de fato, somente o executaram em uma festa de aniversário. Isso também produziu alguma satisfação em Jerusalém, mas é possível que aqui o rei Acaz esteja sendo mais cauteloso em relação a qualquer comemoração que as pessoas estão sugerindo. Em Samaria, o vinho foi abundante e o rei e sua corte não estavam se contendo. Os assassinos presumivelmente estavam se contendo mais, mas o rei e sua corte não suspeitaram de nada. Houve muita sociabilidade e tapinhas nas costas. Então, ocorreu o assassinato.

E o que é ainda mais irônico: o assassino e novo rei se chama Oseias ben Elá, cujo nome é o mesmo do profeta que tem causado alvoroço em Samaria. A política de Oseias envolverá o retorno à aceitação do domínio assírio. Aqui em Jerusalém, há rumores de que elementos da corte favorecem buscar o apoio do Egito em oposição à Assíria. Especialistas aqui estão indagando quanto tempo a lealdade de Oseias à Assíria

> durará e se ele também buscará o Egito. Politicamente, é fácil perceber qual será o resultado disso. Os assírios não vão tolerar. Eles invadirão e destruirão Efraim ainda mais. Aqueles gileaditas acabarão se mostrando certos: eles se verão sendo levados para a Assíria, a fim de trabalhar para os assírios ali. Oseias, ao final, se provará certo ao perguntar se o futuro de Efraim será tão positivo quanto em seus primeiros dias. Oseias será deposto e o país será devastado.
>
> O que você gostaria de comentar?

DE .... **PARA**
Profeta Oseias ben Beeri,   Editor da
em Samaria   Gazeta de Jerusalém

⁷:³Eles fazem um rei se alegrar com sua maldade,
    e os líderes, com suas mentiras.
⁴Todos eles estão cometendo adultério,
    como um forno que está aceso sem um padeiro.
Ele deixa de atiçar o fogo
    desde o sovar da massa até que seja levedada.
⁵No dia do nosso rei,
    os líderes ficaram doentes com o calor do vinho.
Ele estendeu sua mão aos arrogantes ⁶quando eles
      se aproximaram,
    a mente deles é como um forno cheio de intrigas.
Seu padeiro dormiu a noite inteira,
    pela manhã, ele está ardendo, como uma chama flamejante.
⁷Todos eles ardem tanto quanto um forno,
    eles devoram suas autoridades.
Todos os seus reis caíram;
    não há ninguém entre eles que chame por mim (7:3-7).

⁸:¹Coloque a trombeta em sua boca,
    como uma águia sobre a casa de Yahweh!
Desde que quebraram minha aliança,

rebelaram-se contra minhas instruções.
²Eles clamam a mim:
"Meu Deus, como Israel nós te reconhecemos".
³Israel rejeitou o que é bom;
um inimigo os persegue.
⁴ᵃEles instituíram reis, mas não por intermédio de mim;
eles instituíram líderes, mas eu não
os reconheci (8:1-4a).

¹⁰:³Pois eles agora dizem:
"Não temos rei;
porque não vivemos no temor de Yahweh,
o Rei: o que ele poderia fazer por nós?"
⁴Eles proferiram palavras com juramentos vazios,
no estabelecimento de uma aliança.
O exercício de autoridade brotou como erva venenosa
nos sulcos do campo (10:3,4).

¹⁰:⁷Samaria — seu rei está sendo suprimido,
como um graveto sobre a água.
⁸Os altares de Áven serão aniquilados,
o mau procedimento de Israel.
Espinhos e ervas daninhas
crescerão em seus altares.
Eles dirão aos montes: "Cubram-nos",
e às colinas: "Caiam sobre nós" (10:7,8).

¹³:⁹Sua devastação, ó Israel,
porque em mim está seu auxílio.
¹⁰E agora, onde está seu rei,
para poder salvá-lo em todas as suas cidades,
e suas autoridades, das quais você disse:
"Deem-me um rei e líderes"?
¹¹Eu lhe darei um rei em minha ira
e o removerei em minha indignação (13:9-11).

TEXTO EM CONTEXTO

A mensagem de Oseias apresenta novamente seu relato do golpe. Em primeiro lugar, os conspiradores juraram lealdade ao rei e lhe transmitiram um falso sentimento de segurança. Aparentemente, a gastronomia esteve envolvida em seu assassinato, e Oseias, maliciosamente, também a torna uma metáfora para o próprio golpe. Enquanto os chefes em Samaria estavam deixando tudo pronto para a festa, os conspiradores estavam preparando um conluio. A mensagem sobre o golpe conclui com um comentário sobre a longa sequência de reis que apareceram e desapareceram, sem que isso jamais os faça buscar Yahweh. Os trechos seguintes de outras mensagens de Oseias expressam ângulos distintos sobre a série de mudanças de reinados em Efraim. Há o fato de eles terem prosseguido com a nomeação de novos reis, mas sem o envolvimento de Yahweh nesse processo. Há o fato de eles haverem rejeitado a ideia de Yahweh ser Rei; eles não diriam isso abertamente, mas isso está implícito no modo como formulavam suas políticas e se comportavam. Há o fato de que o desastre final definitivamente está chegando a Efraim e que seu rei será levado como um graveto em um rio (Áven, que significa "desgraça" ou "iniquidade", é um nome pejorativo para Betel). Em uma perspectiva diferente da designação dos reis, há o fato de Yahweh ter estado envolvido na nomeação e na remoção dos reis, mas esse foi um envolvimento punitivo.

DE

Adonias ben Raão,
sacerdote em Gilgal

PARA

Oseias

Ao meu senhor Oseias ben Beeri, em Samaria:

Durante o festival recente de Sucote em Samaria, as pessoas murmuraram sobre o que você supostamente disse sobre nossas celebrações, aqui e em outros santuários. As pessoas vêm a Gilgal para agradecer a colheita e cultuar a Yahweh. Nós nos reunimos para celebrar as dádivas da cevada e do trigo que usamos para assar nosso pão e a dádiva da água que irriga a terra, que brota do solo nas fontes de nossa região. Nós nos reunimos para celebrar as dádivas das ovelhas nas colinas, que são extremamente importantes para as pessoas que vivem lá em cima nos montes, onde faz mais frio do que aqui embaixo, e do linho que podemos usar para costurar os tecidos das roupas que todos nós precisamos. Também nos reunimos para celebrar a colheita das oliveiras que nos proporcionam o óleo para nosso pão e para nossas lâmpadas, e as uvas para nosso vinho e figos e tâmaras para comermos algo doce.

Eu sei que as pessoas no festival são diferentes no que diz respeito ao foco exclusivo em Yahweh. Elas sabem que Yahweh é o grande Deus, e elas talvez reconheçam que ele é um Deus tão grande que apenas ele merece ser chamado de "Deus". Mas elas também sabem que há outros seres sobrenaturais diferentes de Yahweh, seres que são subordinados a Yahweh, e talvez peçam ajuda a esses outros seres para sua colheita, bem como para a possibilidade de terem um filho. Portanto, elas também estão agradecendo a esses seres em Sucote. Mas isso não significa que elas não creiam em Yahweh.

Temos sido um santuário aqui perto do Jordão desde os primórdios de Israel. Quando nos reunimos para celebrar a colheita, também celebramos a forma de Yahweh ter sido nosso Deus ao longo dos séculos. Recordamos o fato de Yahweh haver adotado nossos ancestrais como seu povo. Recordamos a alegria que demos a Yahweh. Recordamos como ele tirou nossos ancestrais do Egito e os conduziu pelo deserto. Nós descemos em uma procissão até o Jordão para observar as pedras que celebram a travessia empreendida por nossos ancestrais em sua entrada em Canaã. Observamos, no outro lado do rio, a área na qual eles acamparam, nas proximidades de Peor. Esse foi o lugar no qual Balaque, o rei de Moabe, tentou obter um especialista em adivinhação para amaldiçoar os israelitas, mas, por fim, ele os abençoou. Foi a região em que Moisés conseguiu subir o monte Nebo e avistar a terra.

Parece a mim e aos meus colegas que sua atitude negativa em relação a Gilgal significa que você está desprezando a história dos grandes atos de fidelidade e poder de Yahweh que nos trouxeram a esta terra. Você deveria estimular as pessoas a vir, celebrar e agradecer o que Yahweh fez, e não as desestimular.

DE ························ ——————— **PARA**
Profeta Oseias ben Beeri   Adonias ben Raão,
                             sacerdote em Gilgal

⁴:¹⁵ᵇNão venham a Gilgal, não subam a Bete-Áven
    ["Casa da Tribulação "],
  não jurem: "Assim como Yahweh vive!".
¹⁶Porque, como uma vaca teimosa
    Israel tem sido obstinado [...]
¹⁷Efraim está apegado a imagens;
    deixem-no por sua própria conta (4:15b-17).

⁹:¹Não se regozije, ó Israel, com alegria como os outros povos,
    pois você se prostituiu e se afastou de seu Deus.
Você amou o "presente"
    em todas as eiras de cereais.
³Eles não permanecerão na terra de Yahweh;
    Efraim voltará para o Egito,
    na Assíria eles comerão comida contaminada.
⁴Eles não derramarão vinho para Yahweh;
    seus sacrifícios não lhe agradarão [...]
⁵O que vocês farão no dia fixo,
    no Dia da Festa de Yahweh?
⁶Porque ali — ao terem fugido da destruição,
    o Egito os ajuntará, Mênfis os sepultará.
Embora um alto valor seja atribuído à sua prata,
    as urtigas vão desapossá-los; espinhos estarão em
        suas tendas (9:1,3-6).

⁹:¹⁰Eu encontrei Israel
    como se fossem uvas no deserto.
Eu vi seus pais
    como se fossem os primeiros frutos de uma figueira
        no seu início.
Quando essas pessoas vieram ao Senhor de Peor,

consagraram-se à Vergonha
e se tornaram abominações, como as coisas que
  amaram [...]
¹⁵Toda a sua impiedade começou em Gilgal,
  porque ali fui hostil a eles (9:10,15).

¹²ʼ⁹Eu sou Yahweh, seu Deus,
  desde a terra do Egito.
Farei vocês morarem em suas tendas de novo,
  como nos dias daquela ocasião estabelecida [...]
¹¹Gileade é desgraça? sim, é vazio;
  em Gilgal eles sacrificaram bois?
Seus altares também
  são como montes de pedras [*gallim*] nos sulcos do campo (12:9,11).

TEXTO EM CONTEXTO

Gilgal era um santuário junto ao rio Jordão, perto de Jericó. Era importante como um lugar de travessia a pé na estrada que descia de Betel (Bete-Áven), em especial por ser o lugar no qual os israelitas atravessaram o rio Jordão com Josué, quando entraram em Canaã. Oseias apresenta dois tipos de comentários sobre Gilgal. Um se aplica a todos os santuários de Efraim: ele não considera aceitável orar a seres diferentes de Yahweh, ainda que as pessoas os considerem subordinados a Yahweh. Isso também é um tipo de prostituição. Portanto, Yahweh dará fim aos sacrifícios e às celebrações, e em vez de festejar, eles comerão comida contaminada em seu exílio, na Assíria ou no Egito. Assim como eles viveram em tendas após saírem do Egito e depois moraram novamente nelas para celebrá-lo, viverão novamente — mas não como uma forma de celebração. Enquanto a terra de Gilgal se tornar uma confusão total, os egípcios ficarão extremamente contentes em sepultar seu povo e se apropriar de seus itens valiosos.

> O outro tipo de comentário de Oseias sobre Gilgal representa de uma forma especial a apostasia de Efraim, bem como a graça de Yahweh. Enquanto o sacerdote enfatiza a graça, Oseias destaca a apostasia. O sacerdote se refere à história de Balaão, que aparece em Números 22—24, mas ignora a história de Peor, à qual Oseias se refere e que aparece mais adiante, em Números 25. Em Peor, os israelitas se envolveram na adoração aos deuses moabitas. A alusão final a Gileade e Gilgal talvez se refira à ocasião observada na *Gazeta de Samaria* e em Oseias 6. Mas ali Oseias também faz mais um uso provocante das palavras: os altares em Gileade e Gilgal são apenas *gallim*, montes de pedra, ou em breve o serão.

DE
Eleazar ben Azarias,
artesão em Siquém

PARA
Oseias

Ao meu senhor Oseias ben Beeri, em Samaria:

Eu e outros artesãos ficamos ofendidos com seus ataques à nossa ocupação. Durante toda a vida, estivemos envolvidos em fabricar coisas que contribuem para o culto das pessoas. Aprendemos nosso ofício com nossos pais, e temos orgulho de ensiná-lo aos nossos filhos. E nossos avós, ou melhor, seus ancestrais, várias gerações atrás, fabricaram as grandes imagens em Betel e em Dã.

As imagens que fabricamos são esculpidas a partir da melhor madeira, a partir de árvores que cultivamos cuidadosamente — não usamos apenas sobras ou cortes de lenha ou lascas. Nós as pintamos com cores luminosas que refletem o esplendor de deus ou as passamos adiante a outros artesãos que trabalham com prata ou ouro, profissionais que as chapeiam de uma forma que as tornam ainda mais gloriosas.

Você fala como se estivéssemos fabricando ídolos, coisas que seriam divindades substitutas para as pessoas. Isso não é verdade. Estamos fazendo coisas que apresentam uma utilidade positiva às pessoas em sua espiritualidade. Não são coisas que têm um aspecto sobrenatural demais, objetos que representam Yahweh e que as pessoas possam relacionar a ele. Você precisa aceitar que as pessoas são feitas de carne e sangue, e que é difícil, para as pessoas comuns, aceitarem a noção de que Deus é simplesmente um ser etéreo. Elas precisam de algo que possam ver. Você fala como se achássemos que as imagens que fabricamos de fato são deuses. Você acha que somos estúpidos?

DE — Profeta Oseias ben Beeri

PARA — Eleazar ben Azarias

4:12Meu povo se consulta com seu pedaço de madeira;
  seu pedaço de pau responde.
Pois um espírito de prostituição os desencaminhou;
  eles se prostituíram, afastando-se do seu Deus (4:12).

8:4bCom seu ouro e sua prata, fizeram imagens para si,
  para que Israel seja cortado e separado.
5Ele rejeitou seu bezerro, Samaria;
  minha ira se acende contra eles.
Até quando serão incapazes de se livrar de culpa? —
  6pois isso procedeu de Israel.
Essa coisa — um artífice de metal o fez;
  ela não é um deus,
pois o bezerro de Samaria
  será despedaçado (8:4b-6).

10:5A população de Samaria teme
  pelo bezerro de Bete-Áven,
pois seu povo e seus sacerdotes inúteis estão
    pranteando por ele,
  enquanto celebram seu esplendor.
Porque ele será levado embora para o exílio;
  6ele também será levado para a Assíria,
  um presente para o rei, assim ele vai argumentar.
Efraim sofrerá vergonha,
  Israel será envergonhado por seu conselho (10:5,6).

¹³⁽¹⁾Quando Efraim falava, havia tremor,
    quando ele se levantava [levantava sua voz] em Israel,
    mas por causa do mestre ele se tornou culpado
        e morreu.
²Agora eles cometem cada vez mais pecados,
    e fizeram ídolos para si,
imagens com sua prata, segundo seu entendimento,
    obra de artífices, todas elas [...]
³Por isso eles serão como a neblina da manhã,
    como o orvalho que evapora nas primeiras horas,
como a palha que o vento leva da eira
    como a fumaça que sai pela janela (13:1-3).

TEXTO EM CONTEXTO

Os efraimitas tinham vários tipos de imagens, e Oseias e outros efraimitas se referem a imagens de diversas formas distintas. Existem as imagens de bezerros nos santuários principais, em Dã e Betel (Bete-Áven, "Casa da Tribulação" ou "Casa da Iniquidade"), que estão destinadas a ser despedaçadas ou levadas para a Assíria. Há imagens nos santuários locais (os "altos") e outras que as pessoas tinham em casa. Algumas eram imagens de Yahweh; algumas, imagens de outras divindades. Algumas pessoas faziam a diferenciação entre a imagem e aquilo que ela representa, como, por exemplo, na descrição do artesão; para outras pessoas, contudo, essa distinção era sutil demais. Mas, seja como for, o próprio Oseias não estabelece essa distinção. Ele declara que Yahweh considera desprezíveis todas essas imagens. A razão teológica fundamental é que é simplesmente impossível fabricar uma imagem satisfatória de Yahweh, o único Deus real. Yahweh é essencialmente um Deus que age e fala. Uma imagem não pode representar essa natureza central de Yahweh, e está fadada a desencaminhar as pessoas. Mesmo que alguém considere que sua imagem representa Yahweh, ela, na realidade, é uma imagem de alguma outra coisa. Trata-se apenas de um pedaço de madeira.

DE — Jonas ben Amitai, em Gate-Hefer

PARA Oseias

Ao meu senhor Oseias ben Beeri, em Samaria:

Os anos estão passando aqui na Baixa Galileia e os tempos estão mudando. Estou desfrutando minha velhice, e observo meus filhos tomando conta da lavoura e dos rebanhos, e meus netos crescerem. Continuo tendo um pequeno ministério profético — pessoas dos arredores vêm me ver quando têm alguma preocupação ou necessidade, e querem saber o que Yahweh talvez tenha a lhes dizer.

Nossa localização aqui em Gate-Hefer é nas proximidades da estrada que segue na direção nordeste, para a Síria, e chega até a Assíria, e vai na outra direção pelo Mediterrâneo, alcançando até o Egito. Se ando um pouco, consigo avistar a caravana de mercadores percorrendo a estrada e também as caravanas diplomáticas passando. Isso me faz pensar naquela mensagem que Yahweh me deu quando estávamos debaixo de pressão dos sírios, e ele disse que os colocaríamos em seu devido lugar, e foi isso que fizemos. Isso foi um mistério, pois não o merecíamos. Não estávamos comprometidos com Yahweh. A nação foi próspera durante todos aqueles anos, embora não o merecêssemos, assim como não merecemos nossa atual situação, com as coisas se tornando economicamente mais difíceis. A preocupação dos meus filhos é se a safra do trigo e a safra das azeitonas serão suficientes para eles conseguirem pagar os tributos a Samaria, para que Samaria consiga enviar o que os assírios demandam de nós.

Isso me faz continuar pensando sobre como Yahweh se relaciona conosco. Como eu disse, não merecíamos aquela vitória sobre os sírios. Não havíamos sido fiéis em nosso relacionamento com Yahweh. Desfrutamos nossa prosperidade, mas ela tornou as pessoas menos inclinadas — e não mais — a buscarem a Yahweh. Elas poderiam ir a Dã ou a Betel para o festival — é praticamente a mesma distância para chegar a esses lugares a partir daqui. Descer pela Samaria até Betel é algo empolgante, mas Dã é um lugar muito bonito. As pessoas estão cumprindo o ritual mecânico de reconhecer Yahweh ali, mas, quando voltam, sei que também estão orando aos Senhores. E ouço relatos de que você está dizendo às pessoas em Samaria que a paciência de Yahweh está terminando. Portanto, eu gostaria de saber como você vê a relação entre o amor de Yahweh por nós e sua graça para conosco, por um lado, e a necessidade de ele agir com firmeza, por outro. Você acha que ele sempre estará comprometido conosco?

DE .... **PARA**
Profeta Oseias ben Beeri   Profeta Jonas ben Amitai

[11:1]Quando Israel era um menino, eu o amei;
    do Egito, chamei meu filho.
[2]Eu os chamava;
    mas eles se afastavam de mim.
Eles oferecem sacrifícios aos Senhores,
    queimam incenso para imagens.
[3]Fui eu mesmo quem ensinou Efraim a andar,
    eu os tomei em meus braços.
Mas eles não reconheceram
    que fui eu quem os curou.
[4]Com cordas humanas, eu os conduzi,
    com laços de amor.
Para eles, fui
    alguém que levanta um bebê junto ao rosto,
    e me inclinei de modo que pudesse alimentá-lo.

[5]Não, eles voltarão para a terra do Egito
    ou a Assíria reinará sobre eles,
    pois eles se recusaram a voltar.
[6]Uma espada brandirá contra suas cidades,
    destruirá as trancas das suas portas, e os devorará por causa dos
        seus conselhos.
[7]Meu povo está determinado a se afastar de mim;
    quando invocarem o Altíssimo,
    ele não os exaltará de forma alguma.

⁸Como posso desistir de você, Efraim
  como posso entregá-lo, Israel?
Como posso fazer com você como fiz com Admá,
  tratá-lo como Zeboim?
Meu espírito se comove dentro de mim,
  meu consolo desperta de uma só vez.
⁹Não executarei o furor da minha ira;
  não tornarei a devastar Efraim.
Pois eu sou Deus, e não ser humano,
    o santo no meio de vocês,
  e não me voltarei contra a cidade.
¹⁰Eles seguirão Yahweh;
  ele rugirá como leão.
Quando ele rugir,
  os filhos virão tremendo do Ocidente.
¹¹Eles virão tremendo como uma ave do Egito,
  como uma pomba da terra da Assíria,
  eu os farei viver em suas próprias casas
      (declaração de Yahweh) (11:1-11).

TEXTO EM CONTEXTO

Jonas sabia que Yahweh amava Israel e que ele os amava e se importava com eles até mesmo quando não mereciam. Ele tinha feito uma promessa a Jonas sobre libertação e êxito para Efraim, até mesmo quando haviam sido infiéis (a história é apresentada em 2Reis 14:23-27). Dessa forma, qual é a relação entre a graça de Yahweh e suas expectativas de fidelidade das pessoas? A mensagem de Oseias sugere uma perspectiva sobre a pergunta de Jonas. É possível parar antes do fim de sua mensagem, após a linha a respeito de ele ser Deus, e não um ser humano, e, portanto, deixar a graça ser a palavra decisiva (11:9). Mas Oseias não para por aí. No relato de Isaías sobre sua comissão como profeta (Isaías 6), é fácil parar bem no meio com um sentimento agradável ("Eis-me aqui, envia-me"; 6:8) e, desse modo, evitar a continuação difícil da passagem. O mesmo se aplica à história da comissão de Samuel (1Samuel 3:9, "Fala, Yahweh, pois o teu servo está ouvindo"). Mais uma vez, é fácil parar no meio da mensagem. Aqui Oseias se refere ao fato de Yahweh refrear sua ação contra Efraim porque ele não é como um ser humano que executa a ira que sente. E é fácil parar de ler aqui. Mas Oseias prossegue falando mais sobre a mentira e a falsidade de Israel, significando que a compaixão não tem a palavra decisiva na mensagem de Oseias. Dessa mensagem em diante, Efraim pode ter certeza de que Yahweh terá compaixão se eles se voltarem para Yahweh. Mas se isso não acontecer...

DE
Amazias,
sacerdote principal de Betel

PARA
Oseias

Ao meu senhor Oseias ben Beeri em Samaria:

Como você sabe, tenho mais contato com o profeta Amós de Judá do que com você. Ele está em Betel com mais frequência do que você, mas, sabiamente, fica fora de Samaria como a capital da nação. Minha esperança é que ele siga meu conselho e fique do lado dele da fronteira entre Judá e Efraim. Mas o que estou ouvindo é que você está emitindo críticas e ameaças em relação a Betel, até mesmo em Samaria, e é por essa razão que estou lhe escrevendo para pedir que desista.

Aqui em Betel, temos orgulho de nossa conexão com Abraão e Jacó. Nosso santuário foi um dos primeiros lugares em que Abraão e Sara pararam quando chegaram a Canaã. Eles construíram um altar aqui e invocaram a Yahweh, razão pela qual deixaram uma marca especial nesse lugar, muito antes de qualquer pessoa considerar importante a pequena cidade de Jerusalém. E esse foi o lugar onde Deus apareceu ao neto de Abraão e Sara, Jacó, quando voltava da Mesopotâmia. Esse foi o lugar no qual Deus lhe confirmou a promessa de que ele seria a origem de um povo que experimentaria a bênção prometida a Abraão e seria o meio de abençoar todas as nações. Jacó erigiu um pilar aqui para celebrar a aparição de Deus a ele e, quando ele voltou para Canaã, Deus fez questão de lhe ordenar que voltasse para cá.

Esse é um lugar sagrado, um lugar que Yahweh tornou significativo na história de Israel. Você não tem o direito de acusá-lo de ser um lugar que não simboliza fidelidade a Yahweh. Você está depreciando a Yahweh. Você deve parar com isso, eu lhe peço.

DE: Profeta Oseias ben Beeri

PARA: Amazias, *sacerdote de Betel*

¹²:²Yahweh debaterá com Judá,
    e castigará Jacó de acordo com
        seus caminhos;
    de acordo com suas práticas, ele
        lhe retribuirá.
³No ventre ele agarrou seu irmão,
    e no seu vigor ele lutou com Deus.
⁴Ele lutou com seu enviado e venceu;
    ele chorou e implorou por sua graça.
Ele o encontrou em Betel,
    falou ali com ele,
⁵Yahweh, o Deus dos Exércitos —
    Yahweh é seu nome.
⁶Portanto, volte para seu Deus;
    observe a lealdade no exercício da autoridade
    e espere sempre no seu Deus.

⁷Um comerciante que nas mãos tem pratos de balança enganosos
    ama defraudar.
⁸Efraim disse: "Certamente, fiquei rico;
    adquiri força para mim mesmo.
Em todo o trabalho que realizei, não encontrarão em mim
    desobediência que seja mau procedimento (12:2-8).

¹²:¹²Jacó fugiu para o campo aberto de Arão [Síria];
    Israel serviu em troca de uma mulher —
    em troca de uma mulher, ele guardou [ovelhas].

¹³Por meio de um profeta, Yahweh fez Israel subir do Egito,
e, por meio de um profeta, ele foi guardado.
¹⁴Efraim provocou com grande amargura;
seu Senhor fará cair sobre ele seu sangue,
irá lhe devolver seu insulto (12:12-14).

TEXTO EM CONTEXTO

Assim como Gilgal tem orgulho de sua importância para a história de Israel e de ser um santuário central, Betel tem orgulho de sua importância para a história de Israel e ainda mais orgulho de sua posição (juntamente com Dã), como um dos dois santuários nacionais (veja 1Reis 12). Mas, no mínimo, Amazias tem de pensar no conflito entre Jacó, o herói, e Efraim, a nação extremamente orgulhosa de si mesma e que se engana sobre sua própria impiedade (Oseias 12:8). Ainda existem algumas implicações implicitamente sarcásticas no que Oseias diz. O termo "comerciante" também é empregado para "cananeu", e os efraimitas poderiam ser facilmente considerados praticamente cananeus na forma de orar aos Senhores, os baalins. E o provérbio sobre comerciantes (12:7) alude à ideia de que ninguém fica rico por meio do comércio sem trapacear as pessoas pelo menos um pouquinho.

Além disso, Oseias pode apresentar uma versão menos positiva da história de Betel do que o viés do sacerdote, assim como pode fazê-lo no caso da história de Gilgal. Há elementos na história de Jacó que Amazias omite. O que ele tem a dizer sobre o fato de Jacó haver agarrado seu irmão pelo calcanhar no ventre para deixar Esaú para trás (Gênesis 25:21-26)? E o que dizer do fato de ele haver lutado com Deus quando este apareceu a ele, enquanto voltava para se encontrar com Esaú de novo, morrendo de medo (32:22-32)? Na melhor das hipóteses, essas histórias são ambíguas em relação ao tipo de pessoa que Jacó era. Oseias também não faz todas as observações que poderiam ser feitas sobre Jacó como alguém "enganoso", como os pratos de balança do comerciante. Essa foi a descrição dele feita por Isaque, quando ele fingiu ser Esaú para fazer Isaque lhe entregar a herança de Esaú (Gênesis 27:35). De forma irônica, "engano" também é uma palavra que Gênesis aplica aos filhos de Jacó quando eles participam de uma estratégia assassina contra os homens de Siquém (34:13). De onde eles teriam herdado essa qualidade?! E "enganar" ou "iludir" é o verbo que Jacó aplicou ao seu sogro quando Labão impôs Lia a ele no lugar de Raquel, enquanto ele estava envolvido com o cuidado das ovelhas para obter a "dádiva" de uma mulher (29:25). Portanto, ou Jacó é um herói de quem Efraim é indigno ou os efraimitas são descendentes dignos de Jacó, o enganador.

O "profeta" que Oseias menciona (Oseias 12:13) é Moisés, e o fato de Deus continuar cumprindo seu compromisso com Jacó ao "guardar" a família ou o rebanho de Jacó (ou seja, Israel) aumenta a enormidade da impiedade de seus descendentes — a violência política que a macula e seu insulto a Deus, implícito na forma de buscar outras assim chamadas divindades, e não a Yahweh. Essas coisas terão suas consequências naturais.

DE
Ulão ben Miqueias

PARA
Oseias

Ao meu senhor Oseias ben Beeri:

Meu nome não significará nada para você; sou simplesmente um efraimita que trabalha para a administração em Samaria. Ouvi você pregando na praça da cidade e sei que está certo em boa parte de sua crítica contra Efraim por sua infidelidade a Yahweh.

Você não ficará surpreso ao saber que não estamos no fim das consequências políticas dos tumultos dos últimos dois ou três anos. Em primeiro lugar, houve uma alteração em nossa política de relacionamento com a Assíria. Estávamos pagando tributo em troca de apoiarem o rei Menaém, mas, após Pecaías sucedê-lo, muitas pessoas acharam que era a hora de se opor a esse arranjo. Foi esse o motivo por trás do assassinato executado pelo rei Peca em relação ao rei Pecaías. Mas, para termos uma frente unida mais forte contra os assírios, fizemos aliança com os sírios e tentamos fazer os judaítas se juntarem a nós. Obviamente, é aqui que o plano surtiu efeito contrário ao esperado. Em vez disso, os próprios judaítas desprezíveis apelaram à Assíria para receberem apoio contra nós.

Isso expôs nosso segundo erro de cálculo. Embora o serviço de inteligência nos tivesse dito que Tiglate-Pileser era um imperador muito mais enérgico do que seu predecessor e que tinha grandes ambições, precisamente pelo fato de ele ter essas ambições enormes não achamos que teria interesse em nós. Estávamos errados. Foi o maior erro de cálculo político de nossa história. A terrível invasão que se seguiu significou que os assírios simplesmente anexaram a metade do norte e do leste do país, sujeitando essa região diretamente ao domínio assírio. Eles também levaram muitas pessoas para a Assíria como migrantes forçados — eles levaram pessoas envolvidas na administração, artesãos e assim por diante. Nenhum governo poderia sobreviver a esse desastre, e nenhuma autoridade imperial poderia simplesmente deixar um rei rebelde se manter no trono. Portanto, houve mais um golpe militar, instigado ou apoiado pelos assírios, o rei Peca foi executado e o rei Oseias ocupou o trono com a aprovação dos assírios.

Quanto a mim, obtive um cargo na administração do rei Oseias. Fui nomeado pelo grupo que foi para Calá, com o fim de acompanhar nossos pagamentos de tributos aos assírios. Mas agora Tiglate morreu e a política mudou novamente, de modo que, mais uma vez, estamos nos juntando a outros povos no extremo oeste do Império Assírio para dar fim a esses tributos imperiais e buscar uma aliança com o Egito (certamente constataremos que passamos a pagar tributos aos egípcios!). E fui nomeado para o grupo diplomático que irá para o Egito, para fazer negociações.

Dessa forma, a pergunta que está me perturbando é se realmente posso aceitar essa nomeação. Ouvi que você não somente é contrário a que as pessoas orem aos Senhores, como também contrário a qualquer tipo de negociação com potências estrangeiras com o objetivo de melhorar a segurança da nação ou apoiar sua independência (se é que podemos chamá-lo assim).

DE
Profeta Oseias ben Beeri

PARA
Ulão ben Miqueias

7:8 Efraim está se esvaindo entre os povos;
   Efraim se tornou um pão que não foi virado.

⁹Estrangeiros consumiram sua energia,
    e ele não reconheceu isso.
Sim, cabelo grisalho se espalhou por sua cabeça,
    e ele não reconheceu isso.
¹⁰A majestade de Israel testifica contra ele,
    mas eles não se voltaram para Yahweh,
        seu Deus,
    eles não o buscaram, apesar de tudo isso.
¹¹Efraim se tornou como uma pomba ingênua,
    sem entendimento.
Eles apelaram para o Egito,
    eles foram para a Assíria.
¹²Quando forem,
    atirarei minha rede sobre eles.
Como um pássaro nos céus, eu os derrubarei;
    eu os punirei de acordo com o
        relato de sua assembleia.
¹³Ai desse povo, porque eles se afastaram
    de mim;
    destruição venha para eles, porque eles se rebelaram
        contra mim.
Sou aquele que poderia redimi-los,
    mas eles falaram mentiras a meu respeito.
¹⁴Eles não clamam a mim no seu coração
    quando gemem em suas camas.
A respeito de trigo e vinho novo, eles discutem;
    eles se voltam contra mim.
¹⁵Fui eu que os corrigi, fortaleci seus braços,
    mas eles maquinam coisas más contra mim.
¹⁶Eles se voltam, não para o Altíssimo;
    eles se tornaram como um arco enganador.
Seus líderes cairão pela espada
    por causa da condenação de sua língua
        (ou seja, por sua tagarelice na terra do Egito) (7:8-16).

TEXTO EM CONTEXTO

Oseias não tem dúvida a respeito do contexto em que Ulão precisa refletir sobre seu dilema pessoal. Efraim alterna entre a Assíria e o Egito como potencial fonte de apoio; Oseias adota a mesma atitude em relação a ambas potências. Seu desafio político a Efraim, que aparentaria ser politicamente inútil, é que Efraim deve, em primeiro lugar, resolver a questão de seu relacionamento com Yahweh. Então, Yahweh ajudará a resolver a questão política. Os efraimitas clamam como resultado da terrível desgraça que experimentaram, mas não clamam a Yahweh. Eles comem, bebem e discutem (a respeito da política correta?), mas criticam a forma de Yahweh estar deixando as coisas acontecer com eles, em vez de se voltarem para ele. Yahweh foi aquele que os tornou aquilo que são, mas eles agiram propositalmente de forma catastrófica em seu relacionamento com ele. Eles são infiéis. Eles constatarão que o afastamento da Assíria na direção do Egito simplesmente significa mais turbulência oriunda de uma direção diferente. As últimas linhas apresentam a Ulão algumas sugestões sobre seu dilema. As pessoas envolvidas nas negociações no Egito perderão sua vida (talvez não mais, mas não menos do que as pessoas que eles representam) como resultado da condenação em que suas discussões estúpidas os envolvem.

DE
Acaz ben Jotão,
rei de Judá

PARA
Oseias

Ao meu senhor Oseias ben Beeri, em Jerusalém:

Aqui em Jerusalém, temos sentimentos ambíguos em relação ao tempo terrível que as pessoas experimentaram em Efraim nas mãos dos assírios. Você sabe que me senti profundamente insultado com a forma de o rei Peca haver tentado me pressionar para me juntar a eles na rebelião contra a Assíria, ameaçando depor-me ou assassinar-me para eu ser substituído por alguém controlado por ele. E eu tinha conhecimento de que os efraimitas bem sabiam executar assassinatos. Isaías me exortou a não me preocupar com essas ameaças e a não me envolver com essa rebelião. Eu não estava certo de haver sido convencido por seu argumento sobre confiar em Yahweh, mas, politicamente, era conveniente que eu concordasse com ele. A Assíria mudou muito após Tiglate-Pileser ter assumido o controle pelas últimas décadas, e aparentava ser improvável que pequenas nações como Síria, Efraim e Judá fossem capazes de resistir ao poder da Assíria. E eu estava certo, não estava? Por isso você está aqui em Jerusalém. Fico feliz por você ter conseguido escapar.

Obviamente, a política pela qual optei foi que eu mesmo apelaria à Assíria, não sendo aquilo que Isaías tinha em mente e, como resultado, ele se recusa a falar comigo agora. Suponho que não posso culpá-lo. Mas agora, com sua vinda a Jerusalém, isso levantou mais agudamente a questão sobre se sua mensagem a Efraim se aplica a nós, aqui em Judá. Existem algumas coisas na mensagem em relação às quais não precisamos ter medo. Não participamos de orações a divindades diferentes de Yahweh, como os efraimitas fazem. Não temos nossos próprios templos modernos e nossa própria linhagem de reis (ou melhor, linhagens de reis). Temos Jerusalém como a cidade que Yahweh de fato escolheu, e eu tenho o privilégio de estar ocupando o trono de Davi, cuja linhagem Yahweh estabeleceu e com cuja linhagem se comprometeu. Isso significa que estamos seguros? Não consigo saber, de forma clara, se Isaías acha que estamos ou não.

DE	PARA
Profeta Oseias ben Beeri, em Jerusalém, como representante de Samaria	Acaz ben Jotão, Sua Majestade, o rei de Judá

5:5b Israel e Efraim cairão pela sua desobediência
   (Judá também caiu com eles) (5:5b).

5:12 Eu sou como uma traça para Efraim,
   como podridão para a casa de Judá [...]
14 Pois eu serei como um leão para Efraim,
   como um puma para a casa de Judá (5:12,14).

⁶:⁴O que farei com você, Efraim?
   O que farei com você, Judá?
Pois seu comprometimento é como a neblina da manhã,
   como o orvalho que evapora às primeiras horas (6:4).

⁶:¹⁰ᵇIsrael ficou contaminado ¹¹ᵃ(Judá também);
   ele determinou uma colheita para vocês (6:10b,11).

⁸:¹⁴Israel esqueceu seu criador
   e construiu palácios,
   (e Judá construiu muitas cidades fortificadas).
Eu enviarei fogo sobre as suas cidades,
   e esse fogo consumirá suas fortalezas (8:14).

¹¹:¹²Efraim me cercou com mentiras,
   a casa de Israel com enganos.
(Judá ainda perambula com Deus,
   mantém-se fiel aos santos.) [...]
¹²:²Yahweh debaterá com Judá,
   e castigará Jacó de acordo com seus caminhos;
   de acordo com suas práticas, ele lhe retribuirá (11:12; 12:2).

¹:⁷(Mas da casa de Judá terei compaixão, e os livrarei por Yahweh, seu Deus — eu não os livrarei pelo arco, pela espada e pelo combate, por cavalos e por cavaleiros.) [...] ¹¹O povo de Judá e o povo de Israel se reunirão e nomearão para si um só líder. Eles se levantarão da terra, pois o dia de Jezreel será grande (1:7,11).

TEXTO EM CONTEXTO

A perspectiva da "visita" dos reis de Efraim e da Síria a Jerusalém causou pânico compreensível (veja Isaías 7). Não sabemos se o próprio Oseias se mudou para Jerusalém antes ou depois da queda de

Samaria, mas o manuscrito com o registro de suas mensagens acabou chegando lá, e ele inclui muitas notas que deixam claro que sua mensagem se aplica a Judá. Algumas das referências a Judá talvez tenham sido aspectos de sua própria pregação ao longo dos anos. Elas poderiam simplesmente proporcionar percepções a Efraim sobre como Yahweh enxergava a nação irmã de Efraim. Outras têm um aspecto mais de notas adicionais que exortam Judá a aprender com os erros de Efraim. Yahweh promete que ambos os povos peregrinarão juntos quando chegar o tempo de restauração. Se levarmos em consideração as relações entre eles, essa é uma promessa extraordinária.

DE — Ulão ben Miqueias, *no Egito*

PARA — Oseias

Ao meu senhor Oseias ben Beeri, em Jerusalém:

Não sei se você vai lembrar que lhe escrevi alguns anos atrás ao ser nomeado para uma delegação de Efraim no Egito. Agora sou simplesmente um efraimita que escapou de se tornar um migrante forçado na Assíria e conseguiu fugir para o Egito. Eu o ouvi em Samaria, e percebo que você estava certo em sua crítica contra Efraim, mas eu estava com medo demais para me posicionar. Tivemos êxito em obter uma promessa de apoio egípcio, mas isso não nos serviu de nada durante a invasão de Salmaneser. Samaria acabou caindo e muitas pessoas foram levadas como migrantes forçados. Mas, quando a queda se tornou inevitável, julgamos ser algo estúpido simplesmente esperar por ela, especialmente em relação a pessoas maculadas pela associação com Oseias, como era meu caso. Portanto, juntei-me às pessoas que saíram antes que fosse tarde demais, não para Judá ou Amom ou algum lugar desse tipo, mas para o Egito, onde eu já estivera e até mesmo tinha um ou dois contatos. Assim, estou aqui em Migdol. Mas nunca me sentirei em casa aqui no Egito. Dessa forma, a pergunta que está me perturbando é se Yahweh agora rompeu definitivamente conosco. O que você acha?

DE
Profeta Oseias ben Beeri

PARA
Ulão ben Miqueias,
em Migdol

¹⁴:¹Volta, ó Israel,
  para Yahweh, seu Deus,
  pois você caiu por sua impiedade.
²Levem suas palavras consigo
  e se voltem para Yahweh.
Digam-lhe: "Levarás toda ela, toda a desobediência? —
  aceita algo bom: apresentaremos nossos lábios no lugar de sacrifícios
    de novilhos.
³A Assíria não nos salvará,
  não iremos montados em cavalos.
Nunca mais diremos: 'nosso Deus'
  a algo feito por nossas próprias mãos,
  porque em ti o órfão encontra compaixão".

⁴Curarei a infidelidade deles, eu os amarei de boa vontade,
  pois minha ira se afastou de mim.
⁵Serei como orvalho para Israel;
  ele florescerá como o lírio.
Ele lançará raízes como o Líbano;
  ⁶seus brotos crescerão.
Seu esplendor será como o de uma oliveira;
  sua fragrância como o Líbano.
⁷As pessoas que se sentam à sua sombra novamente darão vida
    ao trigo,
  e florescerão como a videira,
  sua fama será como vinho do Líbano.

⁸Efraim:
"O que ainda tenho a ver com os ídolos? —
  eu mesmo respondi e olhei para ele.
Eu mesmo sou como um cipreste verde" —

seu fruto procede de mim.

⁹Quem é sábio e tem discernimento acerca dessas coisas
  tem discernimento e as reconhece?
Pois os caminhos de Yahweh são retos,
  e os fiéis caminham neles,
    mas os rebeldes neles caem (14:1-9).

TEXTO EM CONTEXTO

É um padrão comum nos Profetas que Yahweh ameace trazer uma destruição que aparenta ser definitiva se as pessoas não se voltarem para ele, mas, então, após a destruição, ele fala em restauração. O último capítulo de Oseias ilustra esse padrão. A pergunta que o capítulo levanta é se *agora*, finalmente, Efraim recobrará o juízo para se voltar a Yahweh. Não há, de fato, uma nação de Efraim que possa voltar. A nação como tal não existe mais. Mas existem efraimitas em Judá e em outros lugares que poderiam realizar essa volta, e Ulão seria um deles. O penúltimo versículo é um diálogo em que Oseias convida Efraim; ele imagina Efraim finalmente voltando e Yahweh respondendo. O versículo final exorta os estudantes posteriores do manuscrito de Oseias a averiguarem como o escrito se aplica a eles.

2

CARTAS A
JOEL

Joel não nos apresenta informações concretas sobre sua época ou seu contexto. Ele não se refere a nenhum rei ou povo como os assírios ou os babilônios. Mas uma pista proporcionada por ele é o fato de usar expressões que também aparecem em muitos dos outros profetas, sugerindo, assim, que ele viveu em um período suficientemente posterior na história de Israel para estar fortemente familiarizado com essas mensagens. Portanto, ele talvez tenha sido contemporâneo de Malaquias.

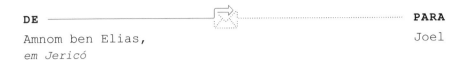

DE **PARA**
Amnom ben Elias, Joel
em Jericó

Ao meu senhor Joel ben Petuel, em Jerusalém

Estou enviando esta carta a você de Jericó, em virtude de notícias preocupantes que recebemos de mercadores que passavam por aqui. Nossa cidade é uma das principais rotas da Arábia para a Síria e a Mesopotâmia, e caravanas de mercadores com frequência passam a noite aqui. Eles nos preocuparam com a notícia de nuvens de gafanhotos infestando os oásis na Arábia. Aparentemente, os gafanhotos migraram da África e têm destruído as árvores e safras que crescem nessa área deserta. E sabemos que, quando os ventos vêm do sul, os gafanhotos também nos alcançam, pela região de Arabá, a partir do mar Vermelho. Chuvas fortes estão estimulando-os a se reproduzir, ou o que talvez seja mais provável: seus ovos serem incubados e se transformarem em insetos completos em vez de morrerem. É evidente que não costuma chover forte aqui em Jericó, o que, em si, não é um problema, pois temos nossas fontes e o rio Jordão, mas nesse inverno temos experimentado chuvas mais intensas. Ao menos, para nós, elas são chuvas intensas.

Experimentamos pequenas infestações de gafanhotos no passado, de forma que sabemos como uma peste dessa natureza poderia ser. A primavera é a época em que eles geralmente aparecem, e essa estação está próxima. Parece que há gafanhotos que, instintivamente, atacam árvores e outros que gostam especialmente de trigo, cevada e forragem para animais, mas eles também comem legumes e vegetais e as partes com pasto que são imprescindíveis às nossas ovelhas.

As pessoas aqui desenvolveram algumas formas de tentar controlá-los. Podemos fazer fogueiras, gritar com eles e tentar afugentá-los, e podemos fazer nossas crianças gritarem em sua direção e expulsá-los. Porém, a realidade é que isso pode ser assustador para as crianças. E, quando os gafanhotos aparecem em um número muito grande, é impossível controlá-los. É como uma nuvem negra gigantesca. É impossível enxergar o sol. Eles conseguem cobrir a terra com seus corpos amarelos tão longe quanto a visão os alcança. Eles produzem um ruído alto como uma plateia batendo palmas. E eles simplesmente devoram as uvas, as tâmaras, as azeitonas, as amoras, as romãs e as nozes. O fato é que eles não apenas comem o fruto. Eles comem a folhagem. E então é duvidoso que as árvores consigam recuperar-se.

Uma peste de gafanhotos poderia resultar em não termos mais grãos para fazer pão e folhagem para os animais. Isso significaria uma grande fome. Centenas de pessoas morreriam por não terem o que comer. E isso não ocorrerá apenas aqui em Jericó, pois acabarão alcançando Jerusalém.

Portanto, o que devemos fazer?

```
DE                                                    PARA
Profeta Joel ben Petuel,              Amnom ben Elias,
em Jerusalém                                     em Jericó
```

²:¹Toquem uma trombeta em Sião,
    deem o alarme no meu santo monte.
Tremam todos os habitantes do país,
    pois o Dia de Yahweh chegou, pois
        ele está próximo,
²ªum dia de trevas e escuridão,
    um dia de nuvens e nevoeiro [...]

¹²Mas agora (declaração de Yahweh),
    voltem-se para mim de todo o coração,
    com jejum, com pranto e com lamento.
¹³Rasguem o coração, e não as vestes,
    e voltem-se para Yahweh, seu Deus,
pois ele é gracioso e compassivo,
    longânimo e grandioso em dedicação;
    e abranda o mal tencionado.
¹⁴Quem sabe, talvez ele retroceda e se arrependa
    e deixe uma bênção atrás de si,
    uma oferta e uma libação para Yahweh, seu Deus?

¹⁵Toquem a trombeta em Sião,
   declarem um jejum santo, convoquem uma assembleia.
¹⁶Reúnam o povo, santifiquem a congregação,
   ajuntem os anciãos.
Reúnam os bebês
   e aqueles que mamam no peito.
O noivo está prestes a deixar seu aposento,
   a noiva, sua tenda.
¹⁷Entre o pórtico e o altar,
   os sacerdotes, os ministros de Yahweh,
      estão prestes a chorar.
Que digam: "Poupa o teu povo, Yahweh,
   não entregues teu domínio ao deboche,
   como zombaria contra eles entre as nações.
Por que se haveria de dizer entre os povos:
   'Onde está o seu Deus?'" (2:1-2a,12-17).

TEXTO EM CONTEXTO

Com frequência, os profetas retratam um desastre futuro como se já estivesse acontecendo ou de fato tivesse acontecido. Esse modo de se expressar deixa clara a realidade na ameaça do profeta para as pessoas, motivando-as a se voltarem para Deus de imediato. Amós veio de uma cidade não muito distante de Jericó, e Joel é como Amós, pelo fato de desejar que as pessoas se voltem para Yahweh à luz da ameaça representada pelo Dia de Yahweh (veja Amós 5:14-25), que, segundo ambos, está vindo na forma de uma catástrofe iminente. Amós havia dito que seria um dia de desastre, um dia de trevas. Em Joel, esse dia será uma peste de gafanhotos. Mas, diferentemente de Amós, Joel não afirma que o desastre iminente é um ato de castigo pelos pecados das pessoas e, portanto, não diz exatamente que elas devem arrepender-se. Ele as estimula a se arrepender em razão de um tema que ele tem em comum com Jonas. É uma convicção que remonta à história do Sinai: Yahweh é "gracioso e compassivo, longânimo e grandioso em dedicação; e abranda o mal tencionado" (Joel 2:14; compare com Êxodo 32:11-14; 34:6,7).

O paralelo com Jonas continua com o "talvez" que vem em seguida (Joel 2:14; veja Jonas 3:9): "Talvez ele retroceda e se arrependa". Joel reconhece que a oração é apropriadamente confiante, na ousadia com que se dirige a Yahweh, mas que também é apropriadamente reverente. Nunca devemos tomar uma resposta como certa. A referência a Yahweh deixar uma bênção atrás de si é uma imagem singular de Joel, e é reveladora nesse contexto. Ela envolve dizer a Yahweh: "Ao menos não deixe os gafanhotos destruírem tudo. Que ao menos sobre alguma coisa". Se Yahweh fizer isso, há a possibilidade de bênção futura — ou seja, de fertilidade futura. E, se algo sobrou e, então, há uma bênção futura, haverá meio para uma oferta. Esse é um argumento sagaz a ser apresentado a Yahweh! Na sequência, há mais um argumento sagaz: você não quer que as nações perguntem, de forma zombeteira: "Onde está o seu Deus", não é mesmo? Esse é um argumento que Joel extrai dos Salmos.

DE — Amnom ben Elias **PARA** — Joel

Ao meu senhor Joel ben Petuel, em Jerusalém:

A esta altura, você sabe que os gafanhotos fizeram seu estrago por aqui. Alguns de nós agimos como você disse. Quando os sacerdotes de Jerusalém proclamaram jejum e convocaram uma reunião de oração no templo, alguns vieram, mas outras pessoas acharam que isso não faria diferença alguma e que era mais importante adotar medidas práticas e possíveis para lutarmos contra a nuvem de gafanhotos.

Quando os gafanhotos vieram, agiram como um exército invasor, um exército tão disciplinado quanto o dos babilônios. Sabe como um exército tem pessoas que desempenham funções diferentes? É como se os gafanhotos fossem assim. Eles foram cortadores e migradores; devoradores e destruidores. Eles eram como leões em miniatura, com dentes tão afiados e eficientes quanto os deles. E devoraram o país como um exército, como uma potência de carros de guerra com uma unidade de cavalos.

Meu avô, que vivia em Jerusalém, contou-me que, quando o exército de Nabucodonosor invadiu o país, eles simplesmente o devoraram. É sempre assim que as coisas são com um exército. Eles não conseguiram trazer todos os suprimentos de que precisavam da Babilônia. Partiram do pressuposto de que lhes bastaria usar os nossos. Eles confiscaram nossos estoques de trigo, nosso óleo e nosso vinho, e à medida que o tempo ia passando, durante o cerco de Jerusalém, eles deixaram nossas árvores completamente desprovidas de azeitonas, uvas, figos e romãs.

Esse exército de gafanhotos fez a mesma coisa. Eles comeram absolutamente tudo em seu trajeto. Eles consumiam tudo em um campo e, então, passavam para o seguinte. Foi terrível. Tentamos afugentá-los, mas não funcionou. Meu avô me contou sobre como os soldados babilônios acabaram assumindo o controle da cidade. Havia pessoas cujas casas estavam no muro da cidade com janelas que davam para a parte exterior. Assim, elas bloquearam as janelas para impedir a entrada dos soldados, mas os soldados escalaram os muros e abriram caminho a machadadas. Esses gafanhotos fizeram a mesma coisa. Tentamos vedar qualquer abertura que desse para o exterior, mas eles escalaram nossos muros e alcançaram a casa, na esperança de que poderia haver comida ali. Eles foram tão ágeis quanto as forças especiais mais bem-preparadas.

E o resultado é devastação. Você sabe como Jericó foi relacionada ao jardim do Éden, em comparação ao deserto desabitado ao redor da cidade? Havia tamareiras, e as coisas cresciam extremamente bem aqui, por ser um lugar quente e por termos água em abundância. Agora o lugar é como um deserto desabitado. É como se um incêndio tivesse devastado a região. Você nos lembrou como Amós disse ao povo para tomar cuidado com o Dia de Yahweh. As pessoas achavam que o dia de Yahweh seria um tempo de grande bênção, mas ele disse que seria um dia de catástrofe. E é isso que esse desastre tem sido, como o Dia de Yahweh chegando.

DE .... ✉ ──────────────── **PARA**
Profeta Joel ben Petuel   Amnom ben Elias,
                                                  em Jericó

²:¹⁸Então Yahweh mostrou compaixão pela sua terra
  e teve piedade do seu povo.
¹⁹Yahweh respondeu
  e disse ao seu povo:
"Eis-me aqui, estou lhes enviando trigo,
  vinho novo e azeite fresco — vocês os terão em abundância.
Eu nunca os entregarei
  como objeto de deboche entre as nações.
²⁰Levarei aquele que vem do norte para longe de vocês,
  irei empurrá-lo para uma terra seca e deserta,
sua vanguarda para o mar oriental,
  sua retaguarda para o mar ocidental.
O mau cheiro dele subirá, sua podridão subirá,
  pois ele agiu poderosamente [...]

²³Membros de Sião, celebrem,
  regozijem-se em Yahweh, o seu Deus.
Pois ele tem lhes dado
  as chuvas de outono conforme sua fidelidade.
Ele tem feito chuvas descerem sobre vocês,
  chuvas de outono e chuvas de inverno como antes fazia.
²⁴eiras de cereais ficarão cheias de trigo,
  lagares ficarão cheios de vinho novo e óleo fresco.
²⁵Vou compensá-los pelos anos
  que os gafanhotos e as lagartas destruíram,
o saltador e o cortador, meu grande exército,
  que enviei contra vocês.
²⁶Vocês comerão e comerão e ficarão satisfeitos,
  e louvarão o nome de Yahweh, o seu Deus,
aquele que agiu de forma extraordinária com vocês;
  meu povo nunca mais será envergonhado, e vocês o reconhecerão.

²⁷Pois eu estarei no meio de Israel,
   e eu sou Yahweh, o seu Deus.
E não há nenhum outro,
   e meu povo não será envergonhado, nunca mais.

²⁸Depois disso, eu derramarei do meu sopro sobre toda carne,
   e os seus filhos e as suas filhas profetizarão.
Os velhos entre vocês terão sonhos,
   e os jovens terão visões.
²⁹Eu também derramarei do meu sopro
   sobre os servos e as servas naqueles dias (2:18-20,23-29).

TEXTO EM CONTEXTO

Assim como os profetas podem imaginar uma catástrofe futura como se já tivesse acontecido, eles podem também imaginar restauração e bênção futura como se já tivessem acontecido. O objetivo é paralelo — encorajar as pessoas, dar-lhes esperança enquanto elas mesmas imaginam o que o profeta está descrevendo. Eles podem ver isso como algo extremamente certo, como se já tivesse ocorrido. Talvez o fato de as pessoas de Judá terem reconhecido a mensagem de Joel como procedente de Yahweh, e de a terem deixado fazer parte de suas Escrituras, indique tanto que algo como uma peste tenha ocorrido quanto também algo como uma bênção tenha ocorrido, embora não tenhamos relato de nenhuma dessas situações. O fato apresentado de Yahweh levando aquele que vem do norte para longe combina com a descrição dos gafanhotos como um exército enorme. Os exércitos, em geral, vêm do norte. Portanto, o norte acaba sugerindo a localização de forças sombrias e ameaçadoras, a representação de algo demoníaco. Mas a imagem militar em Joel talvez signifique não apenas que um exército é uma imagem para a horda de gafanhotos; a horda de gafanhotos pode ser a metáfora de um exército. Seja como for, Yahweh promete um tempo de alívio e restauração. Fúria tem sido derramada sobre o povo de Joel em suas visões, mas Yahweh também se refere a outro tipo de derramamento.

DE — Amnom ben Elias

PARA — Joel

Ao meu senhor Joel ben Petuel, em Jerusalém:

É fantástico observar as tâmaras voltando a ficar maduras nas palmeiras e os meninos se preparando para subir nas árvores para apanhá-las, bem como observar as azeitonas, as uvas, os figos e as romãs, que os adultos conseguem colher com mais facilidade! É quase como se o Dia de Yahweh, no bom sentido, tivesse chegado. Inicialmente, havíamos imaginado o Dia de Yahweh como um dia de grande bênção, um dia em que ele nos libertaria da opressão, tornando nossa vida extraordinária, e você nos disse que deveríamos vê-lo como um dia de desastre, em conformidade com a descrição feita por Amós desse dia como um dia de trevas. E, obviamente, ele estava certo. No tempo dele, a catástrofe veio a Judá na forma dos babilônios — para não mencionar os edomitas, os amonitas e os moabitas... E a forma de você falar sobre os gafanhotos combinava com essa forma de se expressar. Eles eram o Dia de Yahweh chegando, segundo o que você falou. E, quando eles vieram, essa situação combinou exatamente com isso. Mas agora, que as coisas começaram a florescer novamente aqui no jardim de Deus, isso quase me faz achar que o Dia de Yahweh chegou no bom sentido.

Dessa forma, a pergunta que quero fazer a você é: o que realmente é o Dia de Yahweh? A pergunta não é apenas a respeito da natureza, mas também de política. Mencionei a você que meu avô falava sobre o exército de Nabucodonosor, e eles receberam o que mereciam, mas os persas não são realmente um caso muito melhor. Continuamos fazendo parte do império de alguém. Não somos livres. Ainda temos de pagar tributos ao Império. Algum dia haverá um Dia de Yahweh que significará que somos livres?

Peço desculpas por voltar a incomodá-lo, mas não há profetas aqui em Jericó!

DE .... **PARA**
Profeta Joel ben Petuel　　　　　　　Amnom ben Elias,
em Jericó

²:³⁰Manifestarei portentos no céu e na terra,
　　sangue, fogo e colunas de fumaça.
³¹O sol se converterá em trevas,
　　e a lua em sangue,
antes que venha o Dia de Yahweh,
　　grande, extraordinário.
³²ᵃMas todo aquele que invocar
　　o nome de Yahweh escapará [...]

³:²Reunirei todas as nações
　　e as farei descer ao vale de Josafá ["Yahweh exerceu autoridade"].
Eu exercerei minha autoridade com elas ali
　　por causa do meu povo, meu domínio, Israel,
　　a quem eles espalharam entre as nações.
Eles repartiram minha terra
　　³e, sobre meu povo, lançaram sortes.
Deram um menino em troca de uma prostituta,
　　venderam uma menina por vinho e o beberam. [...]

⁹ᵃProclamem isto entre as nações,
　　declarem uma guerra santa [...]
¹⁰ᵃForjem espadas de seus arados,
　　lanças de suas foices; [...]
¹²As nações estão prestes a despertar e subir para o
　　vale de Josafá.
Pois ali me assentarei para exercer autoridade
　　sobre todas as nações circunvizinhas.
¹³Lancem a foice,
　　pois a colheita está madura.
Venham, pisem,
　　pois o tanque está cheio.

As prensas abundam,
  pois sua maldade é grande [...]
¹⁷Vocês reconhecerão que eu sou Yahweh,
  seu Deus que habita em Sião, meu santo monte.
Jerusalém será santa;
  estrangeiros não mais passarão por ela.
¹⁸Naquele dia
  os montes gotejarão vinho doce,
as colinas transbordarão de leite
  os vales de Judá estarão cheios de água.
Uma fonte fluirá da casa de Yahweh
  e regará o uádi das Acácias (2:30a; 3:2,3,9a,10a,12,13,17,18).

TEXTO EM CONTEXTO

A peste de gafanhotos e a restauração da terra eram *um* Dia de Yahweh, mas convidam as pessoas a esperarem ansiosamente *o* Dia de Yahweh. Embora as pessoas soubessem que seria um dia em que poderiam transformar armas de combate em ferramentas de cultivo, agora Joel, de um modo travesso, vira essa ideia de cabeça para baixo. As nações são estimuladas a converter suas ferramentas de cultivo em armas, mas esse é um estímulo irônico, pois isso lhes será totalmente inútil na batalha que Yahweh trava contra elas! Você não consegue achar o "Vale Yahweh Exerceu Autoridade" em um mapa — esse é um nome simbólico inventado, tendo em mente o fato de que Yahweh exercerá autoridade sobre as nações que violentaram, saquearam e escravizaram. O que se tem em mente na descrição de Jerusalém como sagrada e purificada da presença de estrangeiros não é que ali haverá apenas israelitas, mas que não será pilhada por agressores. Acácias era o nome de um lugar do outro lado do Jordão, em frente a Jericó; portanto, uádi das Acácias é mais um nome simbólico. As acácias são árvores que crescem no deserto. Um mero uádi (nesse caso, um leito que apenas eventualmente tem água), com meras acácias, contrastaria com Jericó, que tinha as fontes que a tornavam fértil. A ação de Yahweh "naquele dia" transformará a natureza e as pessoas.

3

CARTAS A
AMÓS

Amós era um criador de ovelhas de Judá a quem Yahweh incumbiu de ir e pregar em Efraim — em outras palavras, em uma nação estrangeira. O próprio Amós costuma chamar o país de Israel, seu título político regular, de forma que Israel aqui significa, em geral, aquela nação do norte, e não "o povo de Israel" como um todo; continuarei me referindo a essa nação como Efraim. Assim como Oseias, ele atuou durante as duas últimas décadas da existência de Efraim, talvez de 760 a.C. em diante, e, portanto, com início pouco antes de Oseias. Portanto, ele seria o primeiro profeta a ter uma compilação de profecias com seu nome. Presume-se que suas profecias datam de um período de algumas décadas, como as de Oseias, e não precisam estar em ordem cronológica no manuscrito. Com frequência, Amós se refere à cidade de Samaria, a capital de Efraim, e nós temos a impressão de que era principalmente ali que Oseias pregava. Mas o santuário principal de Samaria está situado em Betel, a dois dias de viagem na direção sul, e aparentemente era ali que Amós pregava.

Assim como Oseias, Amós está pregando a um povo que sabe que Yahweh é um Deus de amor e misericórdia. No culto de Betel, eles entoavam salmos sobre Yahweh ser alguém que abençoa (por exemplo, Salmos 29 e 67). Eles haviam experimentado o êxito e a prosperidade do reinado de Jeroboão e o cumprimento da promessa de Yahweh por meio de Jonas (2Reis 14:23-29), o que é mencionado em uma das cartas imaginárias. Eles esperavam ansiosamente pelo "Dia de Yahweh" como o tempo em que essa bênção alcançaria a plenitude. Amós sabe que eles estão correndo o risco de experimentar um lado diferente de Yahweh e um tipo diferente de dia.

DE ⟶ **PARA**
Sema ben Malquiá, Amós
assistente do rei Jeroboão

Ao meu senhor Amós, em Betel:

Acho que você reconhecerá meu nome; você verá que esta carta está lacrada com meu selo, que tem a imagem de um leão rugindo e me identifica com um assistente do rei Jeroboão. Sua Majestade ficou feliz ao saber de sua mudança de Efraim para Judá. A oração dele é que seus ajudantes estejam fazendo um bom trabalho de supervisionar sua operação comercial com as ovelhas e que você aprecie o clima mais fresco em Betel.

Aqui em Samaria, a provável impressão é que estamos no centro do mundo, e é em relação a isso que o rei está lhe escrevendo. Estamos no centro de uma região que vai do Mediterrâneo, no oeste, até o deserto, no leste, e do monte Hermom, no norte, até o deserto, no sul. Estamos em uma grande encruzilhada entre o nordeste e o sudoeste. As notícias chegam aqui rapidamente. E Sua Majestade, o rei, está incomodado em virtude de algumas coisas que estão acontecendo na região. Ele indaga se há alguma palavra de Yahweh a esse respeito.

Alguns desses acontecimentos são atrocidades das quais Efraim foi vítima. Você sabe que há muito tempo existem tensões entre nós e nossos vizinhos sírios a nordeste, e essas tensões algumas vezes escalam a ponto de se transformar em combate. Recentemente, alguns súditos de Sua Majestade do outro lado do Jordão foram vítimas de agressão da Síria. O rei Hazael ben Hadade marchou para o sul a partir de Damasco para aquela área, que era, geograficamente, vulnerável aos sírios, e é como se eles tivessem trilhado a terra com arados contendo pregos de ferro. O resultado é que o povo de Gileade perdeu totalmente sua liberdade: eles foram transformados em servos de Hazael. Mas há sinais de que os sírios não são mais tão fortes quanto outrora, e Sua Majestade tem planos para fazer algo a esse respeito. Esse fato o torna ainda mais interessado em saber o que Yahweh acha sobre a situação e se ele contaria com seu apoio [de Yahweh].

Outros acontecimentos na região não têm relação alguma com Efraim, mas isso não nos impede de ficar preocupados. Você mesmo ouviu sobre o envolvimento dos filisteus com o tráfico humano. O povo de Gaza capturou a comunidade inteira de uma vila do outro lado da fronteira, transportou-a pelo sul de Judá e vendeu-a como uma força de trabalho forçado aos edomitas. Nós mesmos sabemos de outros exemplos idênticos. Recebemos um relato sobre uma caravana de camelos serpenteando por Siquém, entre os lugares em que você e eu nos encontramos, que também estava indo para Edom, mas estava vindo da Fenícia na direção noroeste. Essas caravanas de camelos são uma ocorrência bem comum; apenas coletamos taxas de trânsito dos condutores de camelos e os deixamos prosseguir. Mas essa caravana foi preocupante, pois as mercadorias eram humanas. Ela estava vindo de Tiro, levando os habitantes de uma vila inteira de Edom para serem usados por eles como um grupo de trabalhos forçados.

Houve outro aspecto que tornou essa situação uma atrocidade ainda mais profunda. Havia uma relação estabelecida por acordo entre esse povo e os fenícios, significando que os fenícios haviam concordado em tratá-los como se todos eles fossem um só povo, quase membros da mesma família.

Mas eles simplesmente ignoraram a obrigação do acordo. Como as relações internacionais deveriam proceder se as pessoas simplesmente rasgam seus compromissos dessa forma?

DE

Profeta Amós,
em Betel

PARA

Sema ben Malquiá,
*assistente de Sua Majestade,
o rei Jeroboão, em Samaria*

⁴:¹³Porque ali, aquele que forma os montes,
 cria o vento,
comunica aos seres humanos seu pensamento,
 transforma a alvorada em trevas,
pisa os lugares elevados da terra —
 Yahweh, Deus dos Exércitos, é seu nome (4:13).

⁵:⁷Ó vocês, que transformam o exercício de autoridade em veneno
 e atiram a fidelidade em terra!
⁸Ele é aquele que fez as Plêiades e Órion,
 que transforma a escuridão em alvorada.
Ele escurece o dia, transformando-o em noite,
 aquele que chama as águas do mar,
e as derrama sobre a face da terra —
 Yahweh é seu nome —
⁹aquele que lança destruição sobre o forte,
 de tal forma que a destruição vem sobre a fortaleza (5:7-9).

⁹:⁵O Senhor Yahweh dos Exércitos —
 ele toca a terra e ela derrete,
 e todos os que nela vivem pranteiam.
E toda ela se levanta como o Nilo
 e afunda como o Nilo no Egito.
⁶Ele edificou suas câmaras nos céus
 e firmou seu fundamento sobre a terra,
aquele que chama as águas do mar
 e as derrama sobre a face da terra —
 Yahweh é seu nome (9:5,6).

TEXTO EM CONTEXTO

O nome de Sema aparece em um selo feito de jaspe encontrado em Megido, Israel, no século 20; Megido era uma cidade importante que guardava uma passagem central pelas montanhas, a cerca de trinta quilômetros ao norte de Samaria. Posteriormente, o selo desapareceu a caminho do museu de Istambul, mas felizmente alguém o tinha gravado em bronze. O selo exibe, em sua parte superior, o nome Sema e, no meio, traz a imagem de um leão rugindo; na parte inferior, tem as palavras "Servo de Jeroboão".

Nessas três declarações sobre Yahweh, Amós afirma que o poder mundial e cósmico de Yahweh significa que nenhuma nação pode pressupor que se safará de seus pecados. As três descrições de Yahweh procedem de partes distintas no manuscrito de Amós, mas têm esse tema comum a respeito do poder de Yahweh, com uma implicação comum. As pessoas precisam lidar com "Yahweh dos Exércitos" — ou seja, o Deus que tem todo o poder sob seu controle. Amós inclui apenas uma expressão para caracterizar o pecado do qual as pessoas são responsáveis: elas estão envolvidas em transformar o exercício de autoridade em veneno e descartar a fidelidade. Portanto, Amós usa duas expressões que constituem um par central no Primeiro Testamento: o exercício de autoridade, governo, domínio ou poder de tomada de decisão e o exercício de fidelidade e honestidade para com as pessoas (a tradução comum é justiça e retidão). Os dois exercícios — o exercício de poder e o exercício de fidelidade — devem ser inseparáveis. Eles expressam a essência do significado de justiça social no Primeiro Testamento. Amós expressa, de forma hábil, a forma escandalosa como o exercício fiel pode ser distorcido e o perigo a que as nações estão se expondo. Suas palavras poderiam constituir em uma resposta intermediária à carta que Sema enviou de seu chefe. Mas logo será revelado que Amós tem algo mais a dizer como resposta àquele relato do rei sobre os sírios, os filisteus e os habitantes de Tiro.

DE	PARA
Sema ben Malquiá, assistente do rei Jeroboão	Amós

Ao meu senhor Amós, em Betel:

Sua Majestade agradece por sua afirmação da oposição de Yahweh ao tipo de atividade descrita na carta dele. Mas ele não tem certeza da resposta à sua pergunta prática. O que ele deveria fazer sobre essas atrocidades, se é que há alguma coisa a ser feita? Para enfatizar a pergunta, ele chama sua atenção para mais alguns exemplos.

Há os próprios edomitas. De novo, você está ciente da situação. Eles são um problema para Judá, assim como a Síria é um problema para Efraim — eles são os vizinhos com quem há disputas frequentes sobre o território. A situação é moralmente mais complicada porque os edomitas descendem de Esaú, o irmão de Jacó, então somos todos realmente a mesma família. Mas os edomitas ficaram bem contentes em manejar a espada contra Judá de uma forma que produziu atrocidade. Poderíamos achar que eles teriam algum sentimento de identificação com Judá, como pessoas que, em última instância, procederam do mesmo ventre, alguma compaixão por Judá. Mas esse não é o caso.

Há ainda os amonitas. Também situados diante de nós, do outro lado do Jordão, eles também têm executado uma campanha em Gileade, a norte deles. Eles têm sido culpados do pior crime de guerra, embora eu saiba que esse é o tipo de coisa que os exércitos com frequência têm feito. Eles fizeram questão de matar mulheres que eles sabiam estar grávidas. Eles não estavam apenas interessados em matar pessoas em meio à população, mas também em matar os homens a quem estavam combatendo; eles fizeram questão de perfurar as barrigas dessas mulheres com suas espadas. Eles não queriam só eliminar a presente geração de pessoas em Gileade, mas também assegurar que não houvesse outra geração, para que não houvesse nenhum obstáculo à sua apropriação da terra.

Depois disso, a ação dos moabitas do outro lado do Jordão diante de vocês talvez pareça trivial. Os moabitas também são vizinhos dos edomitas.

Você sabe, e você pode concluir das coisas que eu já disse, que os edomitas ficam felizes de estar em guerra com qualquer um. E os moabitas queriam pensar em algo que pudessem fazer para exercer sua revanche depois que os edomitas os tivessem combatido. Dessa forma, eles enviaram um grupo de ataque e o encarregaram de assaltar as tumbas reais. Obviamente, os reis edomitas estavam enterrados em tumbas impressionantes de pedra no acidentado terreno edomita. Mas ocorre que não é difícil entrar em uma tumba de pedras. Assim, os moabitas mataram os guardas das tumbas e rolaram a pedra que estava por cima da tumba para proteger o corpo do rei que havia morrido mais recentemente. Eles retiraram o corpo, levaram-no de volta para Moabe e o queimaram em uma cerimônia. É necessário ter alguma empatia até mesmo por um rei edomita. Ele quer descansar em paz. Mas eles tornaram isso impossível. Eles trataram seus restos mortais como se fossem somente os restos de um animal.

Sei que os sírios, os filisteus, os fenícios, os edomitas, os amonitas e os moabitas não têm a Torá, mas eles não precisam ler a Torá para saber que o tipo de coisa que estão fazendo é errado. Qualquer pessoa que não cauterizou sua consciência sabe bem disso. Sua Majestade também sabe que os judaítas são negligentes em sua atitude para com a Torá, e sua suposição é que esse teria sido um dos motivos de meu senhor Amós ter deixado Judá, vindo a se estabelecer em Efraim.

Portanto, as políticas dessas nações suscitam várias perguntas para Sua Majestade. Será que ele deveria escrever e apresentar seu protesto às autoridades dessas nações? Será que ele deveria romper as relações diplomáticas com elas? Será que ele deveria cancelar os acordos feitos com elas? Ele deveria dar fim às relações comerciais? Ele deveria atacá-los em nome de Yahweh? É evidente que algumas dessas decisões seriam arriscadas e custosas. Mas Sua Majestade não sente que pode simplesmente fingir-se de cego para o que equivale a uma rebelião após a outra contra o que eles deveriam saber que são as expectativas de Deus — três rebeliões, quatro rebeliões... Será que Yahweh deteria o castigo sobre essas ações?

DE		PARA
Profeta Amós, em Betel		Sema ben Malquiá, assistente de Sua Majestade, o rei Jeroboão, em Samaria

2:6Yahweh disse isto:

> Por três rebeliões de Israel,
>   por quatro eu não suspenderei o castigo,
> pois venderam uma pessoa fiel por prata,
>   um necessitado por um par de sandálias.
> 7Vocês que pisam a cabeça dos pobres
>   no pó da terra
>   e pervertem o caminho dos humildes!
> Um indivíduo e seu pai procuram a mesma moça,
>   a fim de tratar meu nome sagrado como ordinário.
> 8Com vestimentas dadas em penhor
>   deitam-se diante de qualquer altar.
> Na casa de seu Deus eles bebem
>   o vinho de pessoas que foram defraudadas.
>
> 9Fui eu que destruí os amorreus diante deles,
>   aqueles que eram tão altos quanto cedros
>   e que eram tão fortes quanto carvalhos.
> Eu destruí seus frutos em cima
>   e suas raízes embaixo.
> 10E fui eu que tirei vocês
>   da terra do Egito.
> Eu os capacitei a andarem pelo deserto por
>   quarenta anos,
> para que tomassem posse da terra dos amorreus.
> 11Eu levantei profetas dentre seus filhos,
>   consagrei pessoas dentre seus jovens.
> É fato, não é, israelitas (declaração de Yahweh),
> 12que vocês fizeram as pessoas consagradas beberem vinho
>   e ordenaram aos profetas: "Vocês não profetizarão."?

¹³Ali, eu racharei a base sobre a qual vocês estão como um carro
    racha o solo
quando se encontra carregado de trigo.
¹⁴A fuga não será possível nem mesmo para o mais ágil,
    o forte não reunirá sua força.
O homem forte não salvará sua vida,
    ¹⁵aquele que maneja o arco não ficará de pé.
Aquele de pés ágeis não salvará a si mesmo,
    aquele que monta o cavalo não salvará sua vida.
¹⁶Os mais corajosos entre os homens fortes
    fugirão nus naquele dia (declaração de Yahweh) (2:6-16).

⁹:⁷Vocês são, para mim, como os cuxitas [sudaneses]
    não é mesmo, israelitas (declaração de Yahweh)?
Acaso não tirei Israel da terra do Egito —
    e os filisteus de Caftor e os arameus [sírios] de Quir?
⁸Ali, os olhos do Senhor Yahweh
    estão sobre o reino que comete o mal;
    eu o elimino
        da face da terra (9:7,8).

TEXTO EM CONTEXTO

Ambas as cartas imaginárias do rei se basearam em Amós 1:3—2:5. Aqui, a mensagem de Amós ao rei é, na prática, a seguinte: arrume sua própria casa antes de pensar em criticar outros povos. Pessoas comuns que se encontram em dificuldade financeira são vítimas de outras que podem aproveitar-se delas. Dois homens da mesma família podem ter relações sexuais com a mesma moça. Cultuadores podem fazer uso de recursos provenientes daqueles que se aproveitam de pessoas necessitadas. Se o Deus que havia agido em favor dos israelitas no passado envia pessoas para desafiá-los, eles preferem que elas fiquem caladas. Certamente, ele tirou os israelitas do Egito, mas ele também se envolveu nos destinos de seus vizinhos. A questão de ele agir ou não contra um povo é determinada pela fidelidade ou pelo pecado desse povo, e não por seu relacionamento passado com eles. E, se ele age contra seu povo, de acordo com sua ameaça, isso tem consequências devastadoras e inescapáveis.

DE
Amazias ben Aimaás, *sacerdote em Betel*

PARA
Amós

Ao meu senhor Amós:

Sua Majestade, o rei, recebeu sua carta e está descontente com o fato de que cópias da carta tenham sido distribuídas em Samaria. Essa situação causou controvérsia, inquietação e mal-estar entre o povo da cidade. Ele me escreveu sobre você e, portanto, estou escrevendo para registrar suas observações nesta carta, que eu também estou tornando um tema de proclamação pública aqui.

Em primeiro lugar, você falou como se Israel não tivesse nenhum significado especial para Yahweh, mas também mencionou o fato de Yahweh ter estabelecido um relacionamento com Israel. Era um relacionamento especial, não apenas com Efraim, mas com as doze tribos do Israel originário, incluindo Judá, do qual fomos obrigados a nos separar em virtude das políticas opressivas do neto de Davi. Somos os beneficiários da graça de Yahweh. Yahweh estabeleceu um relacionamento de aliança conosco que foi proclamado originariamente aqui em nossa terra, em Siquém, que fica a meio caminho de onde estou, em Samaria, para onde você está, em Betel. Israel foi o único povo que Yahweh reconheceu dessa forma, entre todos os povos do mundo. Como seria possível Yahweh pensar em nos aniquilar? Por acaso você não crê que ele é o Deus do amor, da graça e da fidelidade? Você sabe o que os salmos dizem sobre ele. Ele é o Deus que dá e abençoa. Ele não é um Deus irado ou destrutivo. Sua mensagem está em conflito com a fé de Israel, com a própria Torá.

Em segundo lugar, que direito você tem de nos dizer o que Yahweh está dizendo contra Efraim? Você está afirmando que ele caminha ao seu lado e compartilha coisas com você? Acaso está afirmando que você é como o pregoeiro que emite anúncios ao povo da cidade? Você está dizendo que Yahweh é como um leão que está nos atacando? Que ele é como um caçador que está preparando uma armadilha para um pássaro? É esse o tipo de pessoa que Yahweh é? Pensamos que isso é apenas sua imaginação. Você é simplesmente um agente judaíta enviado para nos desmoralizar. Portanto, se você não se dispuser a participar do culto em Betel de forma reverente, sem criar perturbação e, assim, atrapalhar outras pessoas a cultuarem, deverá partir e voltar para Judá, onde eles o recompensarão por nos criticar.

DE
Profeta Amós

PARA
Amazias ben Aimaás,
sacerdote em Betel

³:¹Ouçam esta palavra que Yahweh falou sobre vocês, israelitas, sobre toda a família que eu tirei do Egito:

²Reconheci somente vocês
  de todos os agrupamentos familiares.
Por isso eu os castigarei
  por todos os seus atos impiedosos.
³Duas pessoas andarão juntas
  se não tiverem combinado?
⁴Um leão rugirá na floresta
  se não houver uma presa?
Um puma emite som de seu abrigo
  se não tiver apanhado nada?
⁵Será que um pássaro cai em uma armadilha
  se não houver laço ali?
Será que o laço se levanta do chão
  se não pegou algo de fato?
⁶Quando uma corneta toca em uma cidade,
  o povo não treme?
E se algo sucede a uma cidade,
  não foi Yahweh quem agiu?
⁷Porque o Senhor Yahweh não faz coisa alguma
  sem revelar seu plano
  aos seus servos, os profetas.

⁸Um leão rugiu,
    quem não temeria?
O Senhor Yahweh falou,
    quem não profetizaria? (3:1-8)

⁷:¹⁴ᵃ"Eu não era profeta nem era filho de profeta; apenas era um criador de gado e produtor de sicômoros. ¹⁵Mas Yahweh me tirou de trás do rebanho e me disse: "Vá, profetize ao meu povo Israel".

¹⁶Agora, ouça a palavra de Yahweh. Você diz: "Você não deve profetizar contra Israel. Você não deve profetizar contra a casa de Isaque. Por isso, Yahweh disse isto: "Sua mulher se prostituirá na cidade. Seus filhos e filhas cairão pela espada. Sua terra será repartida segundo uma corda de medir. Você mesmo morrerá em uma terra impura. Israel irá para o exílio, um exílio longe da sua terra" (7:14a-17).

TEXTO EM CONTEXTO

"Sim", diz Amós, "suas perguntas retóricas são exatamente o que Yahweh está dizendo a vocês". Yahweh de fato havia "reconhecido" Israel (Amós 3:2). Assim como Oseias, Amós usa o verbo comum para "conhecer", que significa muito mais do que apenas estar ciente deles (compare com Oseias 5:3). Como ocorre com a linguagem em Oseias de pessoas "conhecerem" ou "reconhecerem" Yahweh (por exemplo, Oseias 5:4), isso significa reconhecer e escolher para estabelecer um compromisso. Mas a escolha e o compromisso de Yahweh expõem Israel à disciplina de Yahweh em vez de significar que os israelitas escaparão dessa disciplina.

"As coisas têm causas, não é?", continua Amós. "Vocês experimentarão algumas coisas que a vontade de Yahweh causou, a não ser que comecem a prestar alguma atenção no que eu, como seu vigia, digo". Ele não sugere que Yahweh seja o causador de todo o desastre que acontece; afinal de contas, as perguntas iniciais sobre amigos e leões e armadilhas não são verdades universais, nem esse é o caso da declaração sobre Yahweh causando desastres. Mas, quando um profeta fala e, então, certas coisas acontecem, as pessoas fazem bem em concluir que não se trata de uma coincidência. E um profeta está falando. Ele está falando porque Yahweh o enviou, não por ter sido treinado para ser profeta. Amazias está correndo um grande risco ao tentar calá-lo.

A advertência final de Amós (7:17) provocará de forma especial uma resposta de Amazias na carta a seguir.

DE — Amazias ben Aimaás, *sacerdote em Betel*

PARA — Amós

A meu senhor Amós:

Não se atreva a me ameaçar! E estou escrevendo à majestade, o rei, para relatar suas palavras sobre ele, que "Jeroboão morrerá pela espada, Efraim irá para o exílio, um exílio longe da sua terra". Você deveria tomar cuidado com as consequências.

Betel é uma de nossas duas catedrais nacionais e, por estar situada no sul do país, mais perto da capital, é a mais importante das duas. É onde o povo de Efraim se reúne para cultuar o Deus de Israel e orar por sua bênção sobre nós como povo. É para onde o rei vem para as festividades. O altar foi erigido aqui pela primeira vez por nosso ancestral Abraão. Yahweh apareceu a Jacó aqui quando Isaque o enviou para encontrar uma mulher. Quando Israel ocupou a terra prometida, as tribos dos dois filhos de José ocuparam a área coberta por Samaria e Betel. Betel era um lugar sagrado antes de qualquer pessoa ouvir falar de Jerusalém. Você não tem direito algum de desdenhar desse lugar.

Para mim, é um privilégio entoar o convite para pessoas cultuarem aqui: "Venha a Betel, traga seus sacrifícios e seus dízimos, suas ofertas de gratidão e suas ofertas de amor". É magnífico assistir às pessoas celebrando as festividades e trazendo suas ofertas de cereais e suas ofertas queimadas. É magnífico ouvir o coral do santuário entoando seus cânticos de louvor e ouvir a música soando. Você não tem direito algum de desprezar com tanta veemência o culto sincero e de coração das pessoas.

DE		PARA
Profeta Amós		Amazias ben Aimaás, *sacerdote em Betel*

⁴:²ªO Senhor Yahweh jurou pela sua santidade: [...]
Venham a Betel e se rebelem —
 a Gilgal, multipliquem a rebelião.
Tragam seus sacrifícios toda manhã,
 e seus dízimos a cada três dias.
⁵Queimem suas ofertas de gratidão de pão fermentado,
  proclamem ofertas voluntárias, anunciem-nas,
   pois vocês têm muito prazer nisso, ó israelitas (declaração do Senhor
     Yahweh) (4:2a,4,5).

⁵:⁴ᵇBusquem-me e viverão,
 ⁵não busquem a Betel,
não vão a Gilgal,
 nem atravessem para Berseba.
Pois Gilgal certamente irá para o exílio,
 e Betel será reduzida a nada.
⁶Requisitem Yahweh e vocês viverão,
  para que ele não irrompa como fogo
Na casa de José e consuma,
  e não haja ninguém para apagá-lo em Betel (5:4b-6).

⁵:²¹Tenho sido hostil, tenho rejeitado suas festas;
 não aprecio suas assembleias.
²²Mesmo que vocês me tragam ofertas queimadas
  e suas ofertas de cereal,
   eu não as aceitarei.
A uma oferta de comunhão de animais bem nutridos,
 não darei atenção.
²³Afastem de mim o som dos seus cânticos;
 não ouvirei a música dos seus bandolins.
²⁴O exercício de autoridade correrá como água,
 a fidelidade como um uádi perene.

²⁵Foram sacríficos e ofertas que vocês
　　apresentaram a mim
　no deserto por quarenta anos,
　casa de Israel? (5:21-25).

TEXTO EM CONTEXTO

Amós emite duas exortações ao povo de Efraim. Ele é o grande mestre de retórica no Primeiro Testamento (nada mal para um criador de ovelhas), e as duas exortações são aparentemente contraditórias, mas abordam o mesmo ponto. Certamente, vão e participem das grandes festas de culto. Eu sei que vocês as acham espiritualmente encorajadoras. Ah, só há um problema. Na realidade, elas são atos de rebelião contra Yahweh. Ou alternativamente: façam o que quiserem, mas não vão para as grandes festas de culto. Eu sei que vocês as consideram espiritualmente encorajadoras. Mas, quando vão a essas festas, estão ignorando o fato de que o desastre está a caminho. Vocês acham que estão em contato com Yahweh ao irem às festas. A realidade é que vocês não estão. Se quiserem falar com ele, podem fazê-lo, mas ele não está lá.

E o que ele quer é que vocês perguntem a respeito de como o poder é exercido com fidelidade por parte das pessoas com poder no governo, nos negócios, na educação ou no culto, ou então sobre como não é exercido. Quando ele se refere a poder sendo exercido de forma fiel e o compara a um uádi perene, a imagem talvez produza um sorriso pensativo, pois um uádi é basicamente, por definição, um rio que corre apenas quando acabou de chover. O poder sendo exercido de forma fiel seria um milagre semelhante. Yahweh, então, se expressa hiperbolicamente em sua pergunta retórica sobre sacrifícios e ofertas no deserto, falando como eles nem mesmo os teriam apresentado ali. As primeiras expectativas que ele expressou no Sinai, que apareceram nos Dez Mandamentos, referem-se à fidelidade a Yahweh e de uns aos outros. A Torá fala sobre sacrifícios e ofertas somente posteriormente, no período que o povo passou no deserto, embora esses sacrifícios não fossem nada próximos daqueles de Betel ou Dã ou Jerusalém.

DE	PARA
Berede ben Setulá, *de Siquém*	Amós

A meu senhor Amós em Betel:

Somos uma família de pessoas comuns com um lote de terra perto de Siquém. A terra é bem fértil, e geralmente há uma quantidade razoável de chuvas na região. Temos vinhas, oliveiras e figueiras, e também algumas ovelhas e cabras. Estamos em uma situação melhor nesse sentido do que muitas pessoas em algumas partes de Efraim, onde a vida é mais difícil. Nós temos sido abençoados.

Mas, nos últimos anos, as coisas têm sido difíceis. A Páscoa acabou de ser celebrada aqui, e minha mulher, Raquel bat Josafá, e eu conversamos sobre a situação na noite passada, sendo o motivo de eu estar lhe escrevendo. Ficamos conversando em voz baixa, pois minha cunhada, que é viúva, e o sobrinho órfão de Raquel não estavam dormindo longe de nós (nosso filho e sua esposa e as várias crianças pequenas estavam na casa ao lado). Estamos preocupados porque temos a impressão de que a safra deste ano não será melhor do que a dos últimos anos.

Tivemos uma sucessão de anos sem chuvas, o que gerou escassez de trigo. Não temos tido o suficiente para moer, nem para assar pão para comermos e ficarmos satisfeitos; também não temos tido o suficiente para guardar para o próximo ano, de forma que não podemos semear apropriadamente. Embora no passado tenhamos nos saído melhor (graças a Deus) do que algumas outras áreas, nos últimos anos tem sido difícil. Nosso poço secou, e nossa cisterna nunca encheu por causa da falta de chuvas, obrigando-nos a percorrer longas distâncias para implorar por água de uma vila em uma situação mais favorável. Outras pessoas como nós foram prejudicadas por ferrugem e fungo nas plantações, de modo que, embora as coisas tenham crescido, no fim das contas eles não tinham mais do que nós para comer. E certo ano houve uma peste de gafanhotos que destruiu o pomar e a oliveira. E nossos problemas não se limitaram à esfera da natureza. Experimentamos ataques de bandos filisteus que vieram de sua região na direção oeste, e alguns dos moços em Siquém morreram em combate.

Temos nos perguntado se merecemos a situação que estamos experimentando. Temos orado muito sobre nossa situação. Tentamos levar uma vida honesta. Estabelecemos nossos compromissos, e os confirmamos com um juramento em nome da grande imagem de Yahweh em Betel, da qual temos uma miniatura em nossa casa. Portanto, Raquel sugeriu que eu escrevesse a você. O que acha que está acontecendo conosco? O que irá acontecer? O que o futuro tem guardado para nós?

DE
Profeta Amós,
em Betel

PARA
Berede ben Setulá,
de Siquém

⁴:⁶Ainda que eu — eu lhes tenha dado
    dentes vazios em todas as suas cidades,
falta de alimento em todos os seus lugares,
    mesmo assim, vocês não voltaram para mim (declaração de Yahweh).
⁷Ainda que eu — eu tenha retido a chuva
      de vocês
    quando ainda faltavam três meses para a colheita.
Eu deixava chover em uma cidade,
    mas não deixava chover em outra.
Chovia sobre um pedaço da terra,
    mas outro pedaço sobre o qual não chovia secava.
⁸Duas ou três cidades vagavam
    para outra cidade, a fim de beber água.
Mas não se saciavam;
    ainda assim, vocês não voltaram para mim (declaração de Yahweh).
⁹Eu os feri com ferrugem e fungo nas plantações,
    multiplicando-os sobre seus jardins e pomares.
Gafanhotos devoraram suas figueiras e oliveiras,
    mas vocês não voltaram para mim (declaração de Yahweh).
¹⁰Enviei uma praga contra vocês,
    como fiz no Egito,
matei seus jovens com a espada,
    com seus cavalos capturados,

fiz com que o mau cheiro de seus acampamentos se espalhasse, entrando
   em suas narinas,
   mas vocês não voltaram para mim (declaração de Yahweh) [...]
¹²Por isso, é assim que o tratarei, ó Israel;
   porque farei isso com vocês,
   prepare-se para se encontrar com seu Deus, ó Israel (4:6-12).

⁸:¹¹Ali, dias estão chegando (uma declaração do Senhor Yahweh)
   em que enviarei fome a toda a terra...
Não fome de pão, nem sede de água,
   mas de ouvir as palavras de Yahweh.
¹²As pessoas vaguearão de um mar a outro
   e perambularão do norte ao oriente,
atrás da palavra de Yahweh,
   mas elas não a encontrarão.
¹³Naquele dia, belas moças e homens jovens
   desmaiarão de sede.
¹⁴As pessoas que juram pela vergonha de Samaria
   e dizem: "Pela vida do seu deus, ó Dã",
e "Pelas vidas do caminho de Berseba"
   cairão e nunca mais se levantarão (8:11-14).

TEXTO EM CONTEXTO

Berede passa a impressão de ser um bom homem que quer fazer o melhor por sua família e vê a si mesmo como honrando a Yahweh, mas, de alguma forma, as coisas tomaram um rumo errado segundo seu entendimento de quem é Yahweh. É irônico o fato de ele morar perto de Siquém. Josué 24 descreve uma ocasião central em que as exigências da Torá foram lidas em voz alta para que fossem ouvidas por todos. Seria ótimo imaginar sacerdotes em Efraim ouvindo o tipo de mensagem que Amós tem a apresentar a Efraim e a forma como influenciará as pessoas comuns. Mas, solenemente, uma das consequências de as pessoas não ouvirem o que Yahweh tem a dizer é que ele para de falar. Se as pessoas dependem de juramentos pelos supostos deuses representados em imagens nos santuários de Efraim e da oração a eles, Yahweh talvez as deixe por conta própria.

DE — Shual ben Zofá, de Bete-Imrim

PARA — Amós

Ao meu senhor Amós, em Betel:

Minha família foi fraudada e arrancada de sua terra, perto de Samaria, e eu ouvi que você está preocupado com esse tipo de coisa, e não sei se você seria capaz de nos ajudar.

Usei a palavra "fraudada", mas não estou afirmando que, de fato, tenha sido algo ilegal. Nossa terra estava (está) situada perto de Bete-Imrim, que fica a uma hora de caminhada de Samaria. Ela está do lado leste da cadeia de montanhas, e a terra não é exatamente tão boa quanto a terra nas montanhas ou no oeste, em que há mais chuva, mas é suficientemente boa, e é nossa terra, e nós a amamos. Minha família tem cuidado dela há gerações. Eu cresci aqui e estive envolvido em cuidar dela e arrancar ervas e subir nas oliveiras até o topo para colher as azeitonas mais afastadas, e isso tudo desde que me entendo por gente. Nós podíamos cultivar trigo o suficiente e tínhamos um pomar e um olival. Nós levávamos o trigo e figos e azeitonas e uvas excedentes para Samaria e os trocávamos por outras coisas de que precisávamos, como potes e utensílios de ferro.

Mas havíamos experimentado alguns anos difíceis, sem produção suficiente para nós, quanto menos um excedente para ser trocado! Dessa forma, passei a trabalhar como ajudante de artesão de metal na cidade — não tenho nenhuma habilidade para esse trabalho, mas eu suportava a labuta. E um dos lavradores com terra mais acima nas montanhas cuja situação era mais favorável — um homem chamado Héber ben Beriá —emprestou à minha família sementes para plantar. A própria terra era a garantia; é assim que as coisas funcionam. Ele não estava nos fazendo um favor, e eu ouvira falar de agiotas e pessoas perdendo sua terra desse modo, e talvez eu devesse ter desconfiado dele, mas ele parecia um homem decente e... qual opção nós tínhamos?

Portanto, eu obtive esse trabalho e meus filhos continuaram trabalhando na terra, e nossa esperança era que as coisas dessem certo. Mas não deram. Tivemos mais um ano sem chuva suficiente. Mais uma vez, a safra não foi suficiente para nos alimentar, quanto menos para nos dar as sementes para o ano seguinte, para ser trocada ou para pagar nossas dívidas [...] E o padrão mais ou menos se repetiu no ano seguinte, e Héber ben Beriá disse que nos levaria ao tribunal em Bete-Imrim. Dessa forma, ele me deu um dia em que eu precisaria tirar uma folga do trabalho (essa é outra história) e aparecer com ele diante dos anciãos na praça da cidade, em Bete-Imrim. Foi horrível. Obviamente, os anciãos eram meus pares — os outros chefes de família na região. Fiquei extremamente envergonhado. Não havia ninguém mais ali na mesma posição. Ninguém mais estava em uma situação realmente boa, mas eles estavam conseguindo se virar.

Eu argumentei que a Torá concedia a pessoas como eu seis anos para sair desse tipo de complicação, mas Héber ben Beriá insistiu que eles não me concedessem o benefício dessa regra. Ele me disse que não havia perspectiva de eu sair da confusão em que nos encontrávamos. Para lhe dizer a verdade, ele estava certo, pois não sou um lavrador muito habilidoso, assim como não sou um artesão muito habilidoso. Como você pode perceber, consigo escrever cartas relativamente bem, mas não sou um levita e não conseguiria ganhar a vida como escriba. Seja como for, ele argumentou que eles deveriam deixar que um lavrador mais qualificado tomasse conta da terra. Meus familiares poderiam continuar na condição de trabalhadores remunerados. Pude contar com a simpatia dos outros anciãos, mas eles ficaram com medo demais para decidir em meu favor. Portanto, perdemos a terra e agora somos apenas camponeses que trabalham em uma terra que pertence a outra pessoa. Estamos trabalhando em nossa própria terra, mas ela agora não pertence mais a nós. E, não importa quão duro trabalhemos, nunca a obteremos de volta. Arruinei tudo para mim, para meus filhos e para seus respectivos filhos e mulheres. Isso provavelmente significará que meus netos nunca conseguirão uma mulher, pois qual pai deixará sua filha casar-se com um camponês? Ou talvez eles acabem conseguindo um trabalho na cidade como eu.

Tudo isso parece bem injusto. O que você acha? O que Yahweh acha?

DE		PARA
Profeta Amós,		Shual ben Zofá,
de Bete-Imrim		de Bete-Imrim,
		e ao rei Jeroboão, em Samaria

⁵:¹¹Portanto, porque vocês tributam o pobre,
  exigem uma taxa do trigo dele:
 Vocês construíram casas de pedras lavradas,
  mas não morarão nelas.
¹²Pois fiquei sabendo dos seus muitos atos de
    rebelião,
  de seus pecados numerosos.
Vocês, adversários dos fiéis, que recebem suborno,
  que deram as costas aos necessitados na porta.

¹³Por isso, a pessoa que tem entendimento se cala
    em um tempo como esse,
  pois é um tempo mau.
¹⁴Persigam o bem, e não o mal, para
    que possam viver;
assim Yahweh, o Deus dos Exércitos, estará
    com vocês,
  conforme vocês disseram.
¹⁵Sejam hostis ao mal, sejam leais
    ao que é bom,
estabeleçam o exercício de autoridade na
    porta.
Talvez Yahweh, o Deus dos Exércitos, seja gracioso
    com o remanescente de José (5:11-15).

⁶:⁴Vocês que se deitam em camas de marfim,
  espreguiçando-se em seus sofás,
comendo cordeiros tirados do rebanho,
  novilhos do meio do curral,

⁵fazendo música ao som do bandolim
    como Davi,
pessoas que compuseram músicas para si mesmas
    nos instrumentos musicais,
⁶bebem em grandes taças de vinho,
    ungem-se com os mais finos óleos,
    mas não se afligem com a destruição de José! (6:4-6).

8:4Ouçam isto, vocês que pisam os necessitados,
    e arruínam os pobres,
⁵dizendo: "Quando a lua nova passar,
    para que possamos vender cereal,
    e o sábado, para que possamos depositar o trigo —
diminuindo a medida, mas
    aumentando o siclo,
    enganando com balanças falsas,
⁶comprando os pobres por prata,
    o necessitado por um par de sandálias,
    e vendendo refugo como trigo?
Yahweh jurou pela Majestade de Jacó:
    "Jamais esquecerei nada do que fizeram.." (8:4-7).

TEXTO EM CONTEXTO

Shual foi menos afortunado que Berede no desenvolvimento da situação com sua própria terra e menos afortunado nas consequências. Ele apresenta um processo pelo qual um lavrador que é mais afortunado, mais habilidoso ou mais esforçado pode aproveitar-se de alguém que não é afortunado ou é menos habilidoso ou preguiçoso. Isso talvez envolva desonestidade. Mas não precisa envolver; pode significar apenas fazer o sistema funcionar em benefício próprio. O desafio às pessoas com poder na comunidade é usar seu poder de forma positiva. Do contrário, no fim haverá dificuldades terríveis, até mesmo para as pessoas que não estão em uma situação ruim no momento.

DE — Ahi ben Abdiel, *em Gileade*

PARA — Amós

A meu senhor Amós, em Betel:

Você sabe que o tempo do rei Jeroboão tem sido triunfante aqui em Gileade, a oeste do rio Jordão. No tempo de seus predecessores, o rei Jeú e o rei Jeoacaz, os sírios invadiram Efraim e assumiram o controle do país inteiro deste lado do Jordão, a totalidade de Gileade e de Basã, a área inteira pertencente às tribos a leste do Jordão — Gade e Rúben e os de Manassés que viviam deste lado do rio. Isso não significou que tenhamos sido expulsos do país, mas, sim, que nos vimos debaixo do controle sírio e que precisávamos pagar tributos a eles. Mas, no presente, os sírios estão muito longe de ter a força que tinham. Portanto, o rei Jeroboão tomou a decisão de que Efraim deveria reassumir o controle da área. Ele nos disse para orar a Yahweh, a fim de tornar isso possível.

Alguns de nós conseguiram ir à festividade em Dã, não tão longe de nós, e o sacerdote nos lembrou que a festa apontava para o grande Dia de Yahweh, o dia que chegará, em algum momento, em que as promessas de bênção de Yahweh serão cumpridas. E Jeroboão foi encorajado por uma promessa que Yahweh fez por meio de um profeta chamado Jonas ben Amitai. E o fato é que Jeroboão conquistou uma área que vai do extremo norte, Lebo-Hamate, até o uádi Arabá, no extremo sul, alcançando o Mar Morto. Ele conquistou lugares como Lo-Debar, ao sul do mar da Galileia, em Gileade, e Carnaim, a cidade mais importante de Basã, no caminho para Damasco.

Dessa forma, voltamos a fazer parte de Efraim, o que é ótimo. Foi como se, de fato, o Dia de Yahweh houvesse chegado. Celebramos uma festa extraordinária de ação de graças aqui, e eles celebraram outra em Samaria. Apresentamos ofertas queimadas, sacrificando um animal inteiro e oferecendo todo ele a Yahweh. Sacrificamos um novilho na festa e, então, oferecemos parte dele a Yahweh e usamos a outra parte para nos banquetear. Cantamos e nos regozijamos e oramos.

Mas o que é enigmático é o seguinte. Dificilmente poderíamos nos queixar da forma que perdemos aquela terra no tempo do rei Jeú e do rei Jeoacaz. Nenhum deles era muito bom em viver de acordo com as expectativas de Yahweh. Eles talvez tenham exercido o governo de forma eficiente e eficaz, mas não de forma especialmente moral. Isso foi quase venenoso. Mas, honestamente, o rei Jeroboão não é muito diferente (você destruirá esta carta após lê-la, não?). Portanto, é uma completa surpresa o fato de Yahweh ter feito essa promessa por meio de Jonas e de tê-la cumprido.

Mas, de uma perspectiva diferente, não é surpresa. Sabemos que Yahweh é um Deus misericordioso e que não havia dito que aniquilaria Efraim de debaixo do céu. No entanto, também sabemos que ele não ignora simplesmente o que seu povo faz. Portanto, minha pergunta é: o que acontecerá agora? As pessoas dizem que você se encontra na sucessão de Jonas. Você está trazendo a mensagem como ele trazia. Portanto, qual é a mensagem de Yahweh?

DE
Profeta Amós

PARA
Ahi ben Abdiel,
em Gileade

5:18Prestem atenção, vocês que anseiam
    pelo Dia de Yahweh.
Qual benefício vocês acham que o Dia de Yahweh trará a vocês? —
    será repleto de trevas, não de luz.
19Será como se um homem fugisse de um leão
    e um urso o encontrasse,
como se ele entrasse em sua casa,
    encostasse a mão na parede
    e uma serpente o picasse.
20O Dia de Yahweh será de trevas, não de luz,
    não é verdade?
De escuridão total, sem um raio de claridade (5:18-20).

8:10Transformarei suas festas em luto,
    todos os seus cânticos em lamento.

Farei todos se vestirem em panos de saco,
    e tosquiarem toda cabeça,
farei daquele dia como um dia de luto por um
       filho único,
cujo fim seja um dia de grandes amarguras (8:10).

6:12Acaso correm os cavalos sobre os rochedos
    ou poderá alguém ará-los com bois?
Pois vocês transformam o exercício de autoridade em
       veneno,
    o fruto da justiça em veneno,
13vocês que se regozijam pela conquista de Coisa Nenhuma,
    que dizem: "Acaso não foi com nossa própria força
       que conquistamos Carnaim?"
14Pois aqui estou, prestes a me levantar contra vocês,
    ó casa de Israel (uma declaração de Yahweh,
Deus dos Exércitos) —
uma nação, e eles oprimirão vocês
    de Lebo-Hamate ao uádi da Arabá (6:12-14).

TEXTO EM CONTEXTO

O contexto de advertência de Amós é que as pessoas esperavam ansiosamente pelo Dia de Yahweh como um tempo de bênção suprema, como observamos em relação a Joel. Amós vira a ideia de cabeça para baixo. Esse deverá ser um dia de desastre, e não de alegria. Será um dia de amargura, e não festivo. Quando as pessoas se reunirem para cultuar, lamentarão em vez de louvar. Amós certamente soaria como se estivesse descrevendo algo antinatural. O problema é que Samaria transformou a vida da nação em algo que é antinatural: o governo opera em benefício dos governantes, e não em benefício dos governados. Amós precisa confirmar a suspeita de Ahi quanto ao fato de Yahweh ter de agir contra Efraim, a despeito da graça que ele tem demonstrado. Amós gosta muito de jogos de palavras para fazer uma observação. Um dos lugares que Ahi ben Abdiel menciona é Lo-Debar (ao menos, essa ortografia está presente em 2Samuel 9:4,5). Mas a ortografia de Amós para isso é Lo-Dabar, que significaria "Coisa Nenhuma". As conquistas de Jeroboão realmente não valiam nada.

DE ⟶ **PARA**
Makbiram bat Elimeleque, Amós
em *Hazor*

Ao meu senhor Amós, em Betel:

Meu marido e eu estamos preocupados com os rumores que estão circulando aqui no norte de Efraim sobre mensagens que, segundo você, procedem de Yahweh. Vivemos em Hazor, ao norte do mar da Galileia, que tem a reputação de ser a maior cidade em Efraim — um lugar muito mais impressionante do que Samaria. Hazor é um tanto quente no verão, mas é adorável no inverno, e o rei e as pessoas realmente abastadas em Samaria gostam de vir aqui para passar uma temporada nessa estação — alguns têm casas de férias aqui. E a cidade está um tanto elevada em relação à área à sua volta, em parte por estar construída sobre as ruínas de cidades anteriores que estão aqui há séculos, de forma que temos o benefício da brisa que sopra do oeste durante a tarde.

Hazor não é tão grande quanto já foi, mas sempre foi uma cidade importante, por causa de sua localização na estrada principal que vem do nordeste e vai para o sudoeste. Qualquer pessoa que viaje de Damasco na direção de Jope, Gaza ou Egito provavelmente passa por esse caminho. Em tempos de guerra, os exércitos passam por aqui e, em tempos de paz, passam os mercadores. Meu marido, Elmadã, é um deles. Ele tem uma operação comercial de transporte que carrega roupas e joias de Damasco em direção àqueles lugares ao sul e para Samaria. Foi assim que ele ouviu os rumores, pois ele estava lá em Samaria a trabalho e muitas pessoas na cidade estavam falando sobre você e sua pregação no santuário em Betel e sobre as preocupações do rei a esse respeito.

Meu marido trabalha muito e é um homem de negócios astuto, e preciso admitir que seu trabalho nos proporciona uma vida boa. Ele garante que eu tenha belas joias e outras coisas boas de Damasco, e por isso não me importo tanto com o fato de ele precisar viajar muito a trabalho, o que o faz ficar longe por dois ou três meses. E, quando ele volta, às vezes com alguns odres de vinho de Gaza, não precisamos esperar até a festa seguinte para assarmos um cordeiro e contratar alguns músicos para tocar em uma festa com um belo jantar, e eu tenho a oportunidade de me arrumar. Temos uma boa casa aqui em Hazor e belas peças de marfim que decoram nossos móveis, de muito mais longe do que Damasco — da Assíria e do Egito. Pertencemos à tribo de Naftali, como todas as pessoas de nossa região, e temos um lote de terra não muito distante da cidade, e empregamos alguns servos para cuidar da terra e tomar conta dos animais. Eles obtêm uma porção do que cultivam ali, que não é tanto assim, mas é suficiente para viverem de maneira simples, e eles estão bem contentes, visto que haviam perdido sua própria terra em virtude de dívidas.

Portanto, temos uma boa casa e uma boa vida. E somos gratos a Yahweh por isso, e damos o dízimo do que é produzido por nosso trabalho e contribuímos para o santuário aqui em Hazor. Tentamos guardar o sábado, embora isso, obviamente, seja difícil para um homem de negócios, pois, quando uma caravana chega de Damasco no sábado, ele não pode simplesmente lhes dizer para irem embora ou esperarem até domingo.

Mas esses rumores nos deixaram preocupados. Você poderia nos dizer exatamente o que tem dito sobre pessoas como nós e sobre uma cidade como a nossa?

DE
Profeta Amós,
em Betel

PARA
Makbiram bat Elimeleque,
em Hazor

3:13 Ouçam e testemunhem contra a casa de Jacó
    (uma declaração do Senhor Yahweh, Deus dos
        Exércitos):
14 No dia em que eu castigar as rebeliões de Israel por isso,
    castigarei os altares de Betel [...]

¹⁵Derrubarei a casa de inverno
   junto com a casa de verão.
As casas de marfim perecerão,
   as mansões chegarão ao fim (3:13-15).

⁴:¹Ouçam esta palavra,
   vocês, vacas de Basã,
vocês que estão no monte de Samaria,
   vocês que defraudam os pobres, que esmagam
      os necessitados,
que dizem aos seus maridos:
   "Tragam algo para podermos beber" [...]
²ᵇAli, dias estão chegando para vocês
   em que alguém levará vocês presas
      a ganchos —
   sim, certamente, as últimas de vocês com anzóis.
³Vocês sairão pelas brechas, cada mulher,
   e serão lançadas para o Hermom
      (declaração de Yahweh) (4:1-3).

⁶:¹Ei, prestem atenção, vocês que vivem em paz em Sião,
   que se sentem seguros no monte de Samaria,
vocês, homens notáveis das primeiras nações,
   a quem a casa de Israel procura.
²Passem a Calné e olhem,
   prossigam dali até o Grande Hamate,
   desçam até Gate, na Filístia.
São elas melhores do que seus reinos,
   ou o território delas melhor que o seu território,
³vocês que afastam o dia mau,
   mas atraem para si o reinado da violência [...]? (6:1-3).

⁹:¹ᵇDerrubem os capitéis para que os umbrais tremam;
   quebrem-nos sobre a cabeça de todos eles.

Os últimos deles, eu matarei à espada;
 nenhum deles conseguirá escapar com o fugitivo,
 ninguém que tentar escapar sobreviverá...
⁴Mesmo que sejam levados cativos por seus inimigos,
 ali darei ordem à espada e ela os matará.
Vou vigiá-los para lhes fazer o mal,
 e não para fazer o bem (9:1b,4).

TEXTO EM CONTEXTO

O nome de Makbiram aparece em um vaso quebrado de uma casa impressionante em Hazor, a enorme cidade ao norte do mar da Galileia, que pertence ao tempo de Amós. Outro vaso quebrado tem um nome que poderia ser Elimeleque ou Elmadã, de modo que dei o primeiro nome ao pai da sra. Makbiram, e o segundo, ao marido dela. Ambos são nomes do Primeiro Testamento, embora o mesmo não se aplique ao nome da sra. Makbiram. Também foi encontrada na casa uma peça de marfim usada para aplicação de cosméticos e uma paleta — ambos os objetos pertencentes à sra. Makbiram —, supostamente indicando que a família era abastada. Havia outros objetos de marfim decorados em casas próximas. Embora profetas como Amós confrontem, principalmente, os homens, que eram aqueles com poder político em Israel, vez ou outra também confrontam as mulheres, que certamente eram o poder por trás do trono, beneficiando-se da liderança questionável de seus maridos. A introdução a Amós situa suas visões durante "os dois anos antes do terremoto" (1:1), e a casa da sra. Makbiram foi uma das muitas edificações aparentemente destruídas por um terremoto ocorrido por volta de 760 a.C. O texto de 2Reis 15:29 relata como, em 732 a.C., os assírios atacaram e se apropriaram de Hazor, cujo povo foi levado na primeira migração forçada para a Assíria. Como costuma ser o caso, o que Yahweh fez não foi tão ruim quanto havia ameaçado, mas, ainda assim, foi bem ruim.

DE Oseias ben Beeri, *em Samaria*

PARA Amós

Ao meu senhor, em Betel:

Nunca nos vimos pessoalmente, mas ouvi falar de você, e você talvez tenha ouvido falar de mim. Eu costumava ir às festas em Betel, mas tenho estado tão horrorizado com a política religiosa do rei Jeroboão que tenho boicotado todos os eventos religiosos nos últimos anos.

Penso que o fardo que recebi de Yahweh é diferente daquele que você recebeu dele. De certo modo, a situação é um tanto estranha, pois, ainda que você esteja realizando seu trabalho no santuário em Betel (sei que é mais perto de casa para você), está mais preocupado com a corrupção na comunidade, enquanto eu estou realizando meu trabalho na capital e tenho estado mais preocupado com a fé das pessoas, com seu entendimento equivocado de quem Yahweh realmente é e o que deseja dessas pessoas.

Mas acredito que Yahweh nos tenha convencido de que o desastre está se aproximando de Efraim. No entanto, também sabemos que Yahweh é o Deus amoroso que está comprometido com Efraim como seu povo. E não acho fácil conciliar esses dois fatos. Pergunto-me como você faz isso. É inevitável que Yahweh traga catástrofes ao seu povo? Como devemos orar em uma situação como esta em que nos encontramos?

DE Profeta Amós, *em Betel*

PARA Profeta Oseias ben Beeri, *em Samaria*

⁷:¹O Senhor Yahweh me mostrou isto: ele estava formando um enxame de gafanhotos no começo do crescimento da safra da primavera. Ali — a safra de primavera depois da colheita do rei. ²Depois que eles terminaram de devorar a relva da terra, eu disse: "Senhor Yahweh, perdoa, peço-te, como Jacó pode se manter de pé, sendo tão pequeno?". ³Yahweh mudou de ideia quanto a isso. "Isso não acontecerá", Yahweh disse.

⁴O Senhor Yahweh mostrou-me isto: ali, ele estava convocando um julgamento por fogo. O fogo consumiu o Grande Abismo e estava consumindo

a terra. ⁵Eu disse: "Senhor Yahweh, peço-te que poupes o povo, como Jacó pode se manter de pé, sendo tão pequeno?". ⁶Yahweh mudou de ideia quanto a isso. "Isso também não acontecerá", o Senhor Yahweh disse.

⁷Ele me mostrou isto: ali, o SENHOR estava de pé ao lado de um muro levantado a prumo, e na sua mão havia um prumo. ⁸Yahweh me disse: "O que você está vendo, Amós?". Eu respondi: "Um prumo". O SENHOR disse: "Veja, estou pondo um prumo no meio de meu povo, Israel. Não o pouparei mais. ⁹Os altares de Isaque ficarão desolados, os santuários de Israel serão devastados. Eu me levantarei contra a casa de Jeroboão com a espada" [...]

⁸:¹O Senhor Yahweh me mostrou isto: ali, um cesto de frutas maduras. ²Ele disse: "O que você está vendo, Amós?". Respondi: "Um cesto de frutas maduras". Yahweh me disse: "O meu povo Israel agora está maduro. Eu não o pouparei mais".

TEXTO EM CONTEXTO

A responsabilidade de um profeta apresenta dois aspectos. Os profetas representam Deus diante das pessoas, dizendo-lhes como Deus vê as coisas e qual é a intenção divina (eles pregam); eles também representam as pessoas diante de Deus, dizendo a Deus como as pessoas veem as coisas e do que precisam (eles oram). Amós tem uma série de visões de coisas que Yahweh talvez faça, sendo sua responsabilidade compartilhá-las com as pessoas. Mas as visões também o motivam a orar; ele deixa claro que um dos objetivos da oração é fazer Deus mudar de ideia quando ele fala sobre levar alguma catástrofe às pessoas. E ele sabe que Deus não tem problema algum com esse objetivo na oração.

Há mais de um modo de ler essa sequência de visões e orações como a reposta de Amós a Oseias. Duas vezes Amós vê algo e ora; então, duas vezes ele vê coisas e não ora. Será que houve um tempo em que os profetas poderiam orar a Yahweh para ter misericórdia e não trazer desastre a Efraim, mas que agora esse tempo havia passado? Ou será que esse tempo ainda virá, de forma que as pessoas não podem pressupor que essa oração sempre será respondida, de modo que é melhor que reajam agora?

DE   **PARA**

Azalias ben Hilquias,   Amós
assistente de Uzias, rei de Judá

Ao meu senhor Amós, em Betel:

Acho que você saberá que as pessoas têm levado suas mensagens a Jerusalém, embora não sejam dirigidas a nós, e Sua Majestade, o rei Uzias, pediu que eu lhe escrevesse sobre elas. Sabemos que você é de Tecoa e que percorreu toda a distância até Betel para falar em nome de Yahweh ali. Você deve ter levado dois ou três dias para ir de Tecoa a Betel, e ouvimos que você ficou aqui em Jerusalém na passagem para lá, mas que nunca se manifestou nos pátios do templo nem veio ao palácio para dizer qualquer coisa aqui. O que ouvimos de sua pregação em Betel nos deixa, de certa forma, um pouco aliviados, mas também nos sentimos um pouco preocupados caso haja coisas que precisamos ouvir.

Acho que tenho três perguntas para você. Uma é se é verdade que você tem dito que Yahweh trará destruição completa sobre Efraim. Você sabe que, com frequência, as relações entre Judá e Efraim têm sido tensas e que às vezes lutamos uns contra os outros, mas o fato é que todos nós fazemos parte da mesma família; todos nós somos descendentes de Jacó. Dessa forma, estamos preocupados com Efraim.

Essa pergunta está ligada à segunda. De certa forma, não podemos culpar as tribos do norte por se separarem de Judá e tomarem seu próprio rumo quando o fizeram. Sua Majestade reconhece que seu ancestral, o rei Roboão, foi insensato na forma de se haver recusado a moderar as exigências impostas pelo rei Salomão a todos quando construiu o tempo ali (sem mencionar o palácio). Mas o fato é que a linhagem de Davi é aquela com que Yahweh estava comprometido, e em algum momento os efraimitas terão de encarar esse fato. E, sob nossa perspectiva, é grave que o grande reino davídico tenha sofrido uma diminuição tão acentuada de tamanho. Portanto, estou curioso para saber se você tem alguma palavra de Yahweh sobre o futuro da linhagem davídica e do reino davídico.

E isso, por sua vez, está associado a uma terceira pergunta. Se Yahweh trará catástrofe sobre Efraim, esse será seu fim definitivo? Haverá algum futuro para eles? Será que Yahweh pode rejeitar a maior parte de Efraim dessa forma? Como isso combinaria com suas promessas? O que quero dizer é que talvez eles mereçam isso, mas...

DE	PARA
Profeta Amós,	Uzias,
em Betel	rei de Judá, em Jerusalém

²:⁴ᵇPor três rebeliões de Judá,
    por quatro, não o deterei,
pois rejeitaram a instrução de Yahweh
    e não obedeceram às suas leis.
Eles foram descaminhados pelas mentiras,
    que seus ancestrais seguiram.
⁵Por isso enviarei fogo contra Judá,
    e esse fogo consumirá as fortalezas de Jerusalém (2:5b,5).

⁹:⁸ᶜNão aniquilarei totalmente
    a casa de Jacó (declaração de Yahweh).
⁹Pois aqui estou, darei uma ordem,
    e sacudirei a casa de Israel entre todas as nações,
assim como se sacode em uma peneira,
    e nenhum grão cai sobre a terra.
¹⁰Todos os que cometem o mal no meio do meu povo
    morrerão pela espada,
as pessoas que dizem: "Isso não nos atingirá, isso não nos alcançará".

¹¹Naquele dia:
    Levantarei a tenda caída de Davi
    e repararei suas brechas,
erguerei suas ruínas
    e as reedificarei como nos dias antigos,
¹²para que eles se apossem do
      remanescente de Edom,
    e de todas as nações que eram chamadas pelo meu nome [...]

¹³Ali, estão vindo dias (declaração de Yahweh):
   Em que aquele que ara virá logo após o que colhe
   e o que pisa as uvas virá logo após o que lança a semente.
Os montes gotejarão vinho doce,
   todas as colinas transbordarão.
¹⁴Restaurarei a sorte do meu povo, Israel;
   eles reedificarão cidades desoladas e nelas viverão.
Plantarão vinhas e beberão de seu vinho,
   cultivarão pomares e comerão de seus frutos.
¹⁵Eu os plantarei em sua terra,
   e eles nunca mais serão desarraigados
de sua terra,
   a terra que dei a eles (disse Yahweh, seu Deus) (9:8-15).

TEXTO EM CONTEXTO

Não, Yahweh será cuidadoso em sua forma de disciplinar Efraim, diz Amós. Há menos menções a Judá em Amós do que em Oseias, o que é estranho, pois Amós era de Judá, e Oseias, de Efraim. Mas, como não há muitas, essa situação chama a atenção para as duas referências que aparecem. Judá foi o último dos sete povos que Amós criticou em 1:3—2:5. Essa situação teria agradado aos efraimitas, os quais se teriam deleitado com ela, até descobrirem que eram o oitavo desses povos. Mas a própria nação de Judá deve observar que Yahweh proferiu uma ameaça contra ela. Na outra ponta do manuscrito de Amós, a ameaça é equilibrada por uma promessa de que a nação reduzida de Judá será restaurada; parte do significado da referência a Edom aparecerá ao passarmos ao exame de Obadias. Presente após a referência a Judá, a promessa final sobre Israel aparenta ser uma promessa sobre Israel como um todo (Efraim mais Judá), proporcionando um belo desfecho ao manuscrito de Amós.

4

CARTAS A
OBADIAS

A melhor conjectura sobre o contexto de Obadias é que sua profecia está situada no período após os babilônios invadirem Judá e destruírem Jerusalém, em 587 a.C. Portanto, é o tempo em que as pessoas estão fazendo as orações em Lamentações, e é no final do tempo de Jeremias. Em parte por coincidência, esse período assistiu a pessoas de Edom perambulando na direção nordeste e se estabelecendo no Neguebe, a região sul de Judá. Estou imaginando Obadias vivendo em Mispá, um centro principal em Judá após os babilônios tornarem Jerusalém praticamente inabitável, e que foi a cidade em que Jeremias viveu por algum tempo.

DE
Judite bat Jachin,
da tribo de Simeão

PARA
Obadias

Ao meu senhor Obadias, em Mispá:

Meu marido e eu somos membros da tribo de Simeão. Estou lhe escrevendo em nosso nome, pois sou filha de um sacerdote, e meu pai me ensinou a escrever.

Como o resto de nossa tribo, vivíamos em uma terra nas proximidades de Berseba, pois essa área havia sido a porção de nossa tribo. Obviamente, nossa tribo estava em uma situação estranha em comparação com as outras, pois a área destinada a Simeão era um enclave na área reservada a Judá, de modo que estávamos cercados por judaítas. Não tínhamos problemas em nossas relações, mas Judá era muito maior que nós e os judaítas sempre eram muito mais numerosos que nós, de modo que sempre ficamos na sombra deles.

Amávamos a área nas proximidades de Berseba, e amávamos nossa vida como pastores, com nossos rebanhos e nossas tendas. Amávamos a beleza intensa do deserto. Meu marido e seus irmãos sabiam onde encontrar um pouco de grama para as ovelhas e sabiam onde era possível plantar certa quantidade de trigo e colher o suficiente para sobrevivermos. Tínhamos um santuário em Berseba; Abraão construiu um altar ali. Mas, em alguns anos, conseguimos subir a Jerusalém para uma das festividades, e foi empolgante estar na cidade grande com seu alvoroço. Mas também ficávamos contentes em chegar em casa, no deserto da região de Berseba. Gostávamos de imaginar Abraão e Sara, e Isaque e Rebeca, vivendo ali antes de a própria cidade de Berseba existir, e gostávamos de ir à cidade para trocar lã por coisas como potes e ferramentas de que precisávamos.

Mas tudo isso agora faz parte do passado. Devo reconhecer que não tivemos um tempo tão difícil em decorrência da invasão babilônica quanto as pessoas em Jerusalém. Experimentamos alguns problemas, quando o exército babilônico veio até aqui para enfrentar os egípcios, não muito tempo antes da queda de Jerusalém. Então, fomos para regiões mais afastadas no deserto, mas eles encontraram alguns de nós e simplesmente se apossaram de nossas ovelhas e levaram embora nosso trigo. E produziram o caos na própria cidade de Berseba e acabaram devastando a cidade. Mas isso não se compara ao que aconteceu a Jerusalém e aos judaítas que viviam nas proximidades da cidade.

O problema é que isso produziu uma espécie de vácuo de poder na área. Algumas pessoas em nossa região já estavam inclinadas a se deslocar para o norte e para o leste, onde havia menos pressão. E ambos os desenvolvimentos acabaram servindo aos edomitas. Os edomitas têm sido, desde sempre, nossos vizinhos a sudeste, lá embaixo, no Vale do Mar Morto, e do outro lado do vale. As relações entre nós têm oscilado ao longo dos anos — algumas vezes, foram nossos aliados; outras, fizeram parte do nosso pequeno império; e, outras ainda, afirmaram sua própria independência. Há muito tempo eles detêm o controle de Elate, no extremo sul, que Judá outrora controlava. E, por causa de nosso desejo de sermos independentes da Babilônia e da ação resultante dos babilônios, perdemos o controle de grande parte de nossa área, e os edomitas conseguiram assumir o controle dessa região.

O que é lamentável, em certo sentido, é que todos nós fazemos parte da mesma família. Situamos a origem de nossa linhagem em Jacó, enquanto eles situam sua origem em Esaú — e Jacó e Esaú eram irmãos. E devemos sentir pena deles, pois eles mesmos têm estado debaixo de pressão do leste e do sul. Algumas tribos árabes têm invadido suas terras. Dessa forma, eles têm perambulado para o leste e para o norte há anos, e os babilônios lhes proporcionaram a oportunidade de fazer isso de um modo mais combinado. Lembre-se: a terra é desértica. Ela não tem as áreas férteis que vocês têm a oeste. Mal há água suficiente para cuidarmos de nossas ovelhas e cultivarmos nossos pedaços de grama. E os edomitas são violentos. Não quero falar sobre a forma de Jacó haver defraudado Esaú de sua posição como o primogênito de Rebeca e Isaque, mas, com frequência, lembro-me de Isaque dizendo a Esaú que ele viveria pela espada. Há uma história sobre nosso ancestral Simeão, certa vez, manejando uma espada, mas ele teve problemas com Jacó por essa razão. Desde então, não temos sido muito bons com espadas.

Dessa forma, quando os edomitas começaram a se estabelecer em nosso território, empurraram-nos mais para o norte. E, com o auxílio dos babilônios, não apenas assumiram o controle de Berseba, mas também de Hebrom. Eles estão próximos de Belém agora, ao sul. Eles não estão exatamente se portando como membros da família em relação a nós. Eles ficaram do lado dos babilônios quando Nabucodonosor sitiou Jerusalém.

Portanto, o que devemos fazer? O que Yahweh diz sobre nossa situação? Ele ainda está comprometido conosco? Ele deixará os edomitas se apossarem do país inteiro?

DE
Obadias,
em Mispá

PARA
Judite bat Jachin,
da tribo de Simeão

¹ᵇAssim disse o Senhor Yahweh sobre Edom [...]

²Veja, tornarei você pequeno entre as nações;
você será muito desprezado.
³A arrogância de sua mente o tem enganado,
    você que tem habitado nas fendas do penhasco,
        num lugar elevado,
dizendo a si mesmo:
    "Quem pode derrubar-me em terra?".
⁴Ainda que você suba tão alto quanto uma águia,
    e faça seu ninho entre as estrelas,
        dali poderei derrubá-lo (declaração de Yahweh) [...]
¹⁰Por causa da violência cometida contra seu irmão, Jacó,
    a vergonha o cobrirá, e você será eliminado
        permanentemente.
¹¹No dia em que você ficou à margem,
    no dia em que os estrangeiros se apossaram de seus recursos,

quando estranhos entraram por suas portas,
   e lançaram sortes sobre Jerusalém,
   você também foi exatamente como eles [...]

¹²ᵇVocê não deveria ter-se alegrado com os judaítas
   no dia de seu perecimento [...]
¹³ᶜVocê não devia ter lançado mão de seus recursos
   no dia de seu desastre [...]
¹⁵Pois o Dia de Yahweh está próximo contra todas
      as nações;
   como você fez, assim lhe será feito,
   quando suas ações recairão sobre sua
         cabeça [...].

¹⁹O Neguebe se apossará do monte Esaú,
   os da Planície [se apossarão] dos filisteus [...]
²¹Libertadores subirão ao monte Sião,
   para exercer autoridade sobre o monte Esaú,
   e o reino pertencerá a Yahweh (Obadias 1b-21).

TEXTO EM CONTEXTO

Em 552 a.C., o rei babilônico Nabonido invadiu Edom, tornando essa região parte de seu império, e esse império passou às mãos do rei persa Ciro, em 539 a.C. Os acontecimentos que se passaram durante os dois séculos seguintes são obscuros, mas, no final do período persa, a área se tornou uma província persa e, depois, uma província helênica chamada Idumeia. Na década de 160 a.C., Judá teve êxito em se revoltar contra o domínio helênico e restabeleceu um Estado independente da Judeia; a nação, então, tornou a Idumeia parte de seu reino, e os habitantes da Idumeia se tornaram judeus. Portanto, poderíamos dizer que os edomitas não foram aniquilados; eles acabaram sendo colocados em seu devido lugar e convertidos. Um século depois, a Judeia passou a fazer parte do Império Romano, e "Edom" se tornou um código para Roma no pensamento judaico. Herodes era um idumeu que se considerava judeu, e aumentou enormemente o templo de Jerusalém.

5

CARTAS A
JONAS

Existem vários contextos relacionados à história de Jonas. Em primeiro lugar, há o relato de Yahweh lhe dando uma promessa de que o norte de Israel conseguiria tomar de volta a terra que havia perdido (veja 2Reis 14:23-27). Um segundo é a posição da Assíria como a grande potência imperial dos tempos israelitas, uma potência que poderia ser o agente de Yahweh em trazer desastre a Efraim ou Judá, mas que também estava destinada a ser sujeitada, por impor sua autoridade a outros povos em busca de seus próprios interesses. Um terceiro contexto é o fato de o apogeu da Assíria e o apogeu de Nínive como capital da Assíria terem ocorrido após o tempo de Jonas, e há sugestões de que o hebraico de Jonas seja de um período posterior ao tempo de Jonas. Dessa forma, o que aconteceu foi que Jonas, que recebeu essa promessa algum tempo antes, tornou-se o meio de contar uma história imaginativa sobre a relação entre o rigor e a misericórdia de Deus, e sobre as atitudes apropriadas em relação a essas características.

DE
Gerson ben Maate, *em Gate-Hefer*

PARA
Jonas

Ao meu senhor Jonas ben Amitai:

Aqui em Gate-Hefer, temos grande orgulho de você! Quem diria que Yahweh escolheria alguém de nossa pequena cidade, um lugar de quem ninguém nunca ouviu falar, para conceder a um dos seus uma mensagem anunciando sua promessa de restaurar Efraim à glória passada! Pensar que costumávamos nos lembrar do tempo de Salomão, quando controlávamos a Síria inteira! Então, perdemos o controle da região e, por anos a fio, os sírios ficaram nos perturbando, e aqui em Gate-Hefer podíamos ver suas tropas vindo com seus grupos de ataque pela estrada principal do lago Quinerete, que leva ao Mediterrâneo. Você disse que Yahweh nos capacitaria a expulsá-los, o que, de fato, ele fez! E você está lá no quadro de funcionários do rei em Samaria, em condições de levar a palavra de Yahweh até ele!

Mas os anos se passaram e a situação mudou. Politicamente falando, conseguimos obter o controle da Síria apenas porque os assírios estavam distraídos, e agora eles estão se impondo sobre nós. Portanto, nosso problema não são os sírios, mas os assírios, e eles são uma entidade muito mais poderosa, um problema muito mais ameaçador. Em primeiro lugar, vimos suas caravanas descendo por aquela estrada principal a caminho do Mediterrâneo e do Egito, com sua escolta militar. E agora eles começaram a se impor na região do outro lado do Jordão, a região sobre a qual você apresentou sua mensagem. Os assírios são aqueles que agora controlam Damasco. E ouvimos de mercadores que eles estão envolvidos em grandes projetos de construção em suas grandes cidades, como, por exemplo, Nínive.

Yahweh precisa fazer algo a esse respeito. Se não fizer, em breve constataremos que eles não estão somente passando por Efraim a caminho do Mediterrâneo; eles também nos tornarão parte de seu império e nós perderemos a independência.

Portanto, achamos que você precisa ir e se consultar com Yahweh novamente sobre a Assíria, da mesma forma que fez sobre a Síria, vinte anos atrás. Precisamos que Yahweh decida colocar a Assíria em seu devido lugar, do mesmo modo que ele fez com a Síria. Grandes impérios não são bons. Talvez nosso império de tamanho médio que tínhamos debaixo de Salomão também não fosse tão bom assim. Talvez Yahweh não devesse deixar os impérios se desenvolverem. Temos de reconhecer que o fato de Salomão desenvolver seu império não foi uma ideia tão boa. Esse desenvolvimento significou que ele teve de estabelecer aquelas alianças matrimoniais com o Egito, Moabe, Amom e assim por diante, e fazer suas esposas irem e viverem em Jerusalém, e, portanto, construir santuários para elas cultuarem os deuses delas — em Jerusalém!

Fale isso em voz baixa, mas nós acreditamos que o rei também tem sido bem problemático em Samaria. Ele não era chamado de Jeroboão à toa. Jeroboão ben Joás era exatamente como o Jeroboão originário, ben Nebate, supostamente servindo a Yahweh, mas estimulando uma forma de espiritualidade que era parecida demais com a dos cananeus, para o conforto ou para o bem de Efraim. A razão de Yahweh ter possibilitado que resistíssemos aos sírios não era que Efraim estivesse extremamente comprometida com Yahweh. Ele simplesmente foi misericordioso conosco. A razão foi que ele estava comprometido conosco apesar do que somos, e não por causa do que somos. Portanto, de certa forma, é bom o fato de termos voltado ao tamanho aproximado de povo que a promessa original de Yahweh a Abraão mencionou, mas não sermos os senhores de um grande império. Porém, se Yahweh não fizer nada quanto aos assírios, eles acabarão conosco.

Dessa forma, essa é a razão de acharmos que você precisa ir e se consultar com Yahweh sobre a Assíria. Talvez ele vá lhe dar uma mensagem sobre pôr um fim às atividades deles.

DE
Mibar ben Joabe,
escriba e assistente do profeta Jonas ben Amitai, agora em Jope

PARA
Gerson ben Maate,
em Gate-Hefer

¹:¹A palavra do Senhor veio a Jonas ben Amitai: ²"Levante-se, vá à grande cidade de Nínive e pregue contra ela, porque a sua maldade subiu até mim". ³Mas Jonas se levantou para fugir para Társis da presença de Yahweh. Ele desceu à cidade de Jope, encontrou um navio que ia a Társis, pagou a passagem e embarcou nele para ser levado para Társis, fugindo da presença de Yahweh. ⁴Mas Yahweh lançou um vento forte sobre o mar, caiu uma grande tempestade sobre o mar e o navio ameaçou arrebentar-se. ⁵Os marinheiros ficaram com medo e cada um clamava ao seu próprio deus. E atiraram ao mar as coisas que estavam no navio para torná-lo mais leve.

Jonas descera ao interior do barco, deitara-se e adormecera. ⁶O capitão dirigiu-se a ele e lhe disse: "O que você está fazendo, dormindo? Levante-se, clame ao seu deus. Talvez este deus nos dê alguma ideia para não morrermos".

⁷Os homens disseram uns aos outros: "Venham, vamos lançar sortes para descobrir quem é o responsável por esse infortúnio que se sucedeu a nós". Lançaram sortes, e a sorte caiu sobre Jonas. ⁸Eles lhe disseram: "Diga-nos, pedimos-lhe, quem é o responsável por esse infortúnio que se sucedeu a nós. Qual é a sua ocupação? De onde você vem? Qual é a sua terra? De que povo você é?" ⁹Ele lhes disse: "Eu sou hebreu. Eu reverencio Yahweh, o Deus dos céus, que fez o mar e a terra seca".

¹⁰Os homens ficaram com muito medo e lhe disseram: "O que foi que você fez?", pois sabiam que ele estava fugindo da presença de Yahweh, pois ele lhes tinha dito. ¹¹Eles lhe disseram: "O que devemos fazer com você para que o mar se acalme (visto que o mar estava se tornando mais tempestuoso). ¹²Ele lhes disse: "Peguem-me e atirem-me ao mar, e o mar à sua volta se acalmará, pois eu sei que é por minha causa que esta grande tempestade caiu sobre vocês".

¹³Os homens remaram para voltar à terra, mas não conseguiram, pois o mar estava se tornando cada vez mais tempestuoso contra eles. ¹⁴Eles

clamaram a Yahweh: "Ó, Yahweh, não nos deixes morrer pela vida deste homem. Não deixes cair sobre nós o sangue de alguém que é inocente. Porque tu, ó Yahweh — o que desejavas, tu fizeste". ¹⁵Eles pegaram Jonas e o lançaram ao mar; e o mar cessou sua fúria. ¹⁶Os homens sentiram grande temor de Yahweh. Eles ofereceram um sacrífico a Yahweh e fizeram votos.

¹⁷Yahweh preparou um grande peixe para engolir Jonas, e Jonas ficou no ventre do peixe três dias e três noites (1:1-17).

TEXTO EM CONTEXTO

Jonas e seu assistente (como o israelita comum) não dão indicação alguma de serem contra os estrangeiros, e a história não apresenta estrangeiros como os marinheiros da história — nem como maus, nem estúpidos. Na realidade, eles aparentam ter sido mais sábios que Jonas. Mas Jonas (representando outros israelitas, poderíamos conjecturar) quer ver Yahweh agir contra os assírios, pois eles são uma potência imperial que deseja obter o controle econômico do mundo deles e fazê-lo funcionar de um modo que o torne mais lucrativo para eles do que para todos os outros. E Yahweh está comprometido em sujeitar essas potências imperiais.

Mas por que, exatamente, Deus quer que Jonas vá e pregue contra elas? Por que não aniquilá-las simplesmente? Em filmes sobre caubóis e gângsteres, os matadores geralmente querem dizer às suas vítimas a razão de as estarem matando (e muitas vezes eles acabam tendo problemas por adiarem sua ação). Talvez, em parte, isso se dê por terem de justificar sua ação a si mesmos, e eles querem que suas vítimas saibam que sua morte está ocorrendo em um universo moral, o que os roteiristas também tencionam afirmar. E talvez exista algo semelhante quanto à ação de Yahweh. Mas ficará claro que sua ação não se trata apenas disso. Ademais, por que Jonas não quer ir e fazer o que Yahweh lhe ordenou? Isso também ficará mais claro no tempo devido.

DE ──────────────── **PARA**
Mibar ben Joabe,   Jonas,
seu assistente, em Jope   *em Gate-Hefer*

A meu senhor Jonas ben Amitai:

O que quero saber não é que tipo de peixe era. Presumivelmente é impossível, na ordem natural das coisas, um homem ser engolido por um peixe e ficar vivo e, portanto, é interessante indagar a esse respeito, mas eu sei que Yahweh pode fazer o impossível, e essa não é a pergunta importante. O que quero saber é: qual foi sua oração ao ser engolido pelo peixe? Posso pensar em dois tipos de coisas que eu gostaria de dizer a Deus nessas circunstâncias. Eu ouvi pessoas dizerem que duas das melhores orações que qualquer pessoa chega a orar é: "Socorro, socorro, socorro" e "Perdão, perdão, perdão". Sua história me faz lembrar dessas orações! O que imagino que eu faria seria confessar o pecado que eu tivesse cometido ao partir na direção oposta daquela ordenada por Deus, assegurando a Deus que eu aprendera a lição e que obedeceria à sua ordem da próxima vez. E eu lhe suplicaria que fizesse o peixe me cuspir, para poder voltar à margem. Suponho que você não estivesse longe de terra seca, pois os navios não velejam diretamente pelo Mediterrâneo; eles vão margeando a costa. Assim, você não estaria longe da margem.

DE ──────────────── **PARA**
Profeta Jonas ben Amitai,   Mibar ben Joabe,
agora em Nínive   *de volta a Jope*

²:²Da minha opressão, clamei
    a Yahweh e ele me respondeu.
Quando gritei por socorro do ventre do Sheol,
    tu ouviste minha voz.
³Jogaste-me nas profundezas,
    no coração dos mares.
A correnteza me cercou;

todas as tuas torrentes e ondas passaram
>   por cima de mim.
⁴Eu disse a mim mesmo: "Fui expulso
> da tua presença".
Contudo, olharei de novo
> para teu palácio sagrado.
⁵A água me envolveu, até o pescoço,
> o abismo me cercou.
Algas se enrolaram em minha cabeça
> ⁶nos fundamentos dos montes.
Afundei até a terra embaixo,
> seus ferrolhos se fecharam sobre mim para sempre.
Mas tu fizeste minha vida subir do buraco,
> Yahweh, meu Deus.
⁷Quando minha vida estava se esvaindo de mim,
> lembrei-me de Yahweh.
Minha oração chegou a ti,
> ao teu palácio santo.
⁸Aqueles que esperam ansiosamente por coisas que são vazias
>   e ocas
> renunciam à fidelidade.
⁹Mas eu — com voz de ação de graças, oferecerei
> sacrifício a ti;
pois o que prometi cumprirei —
> o livramento pertence a Yahweh (2:2-9).

TEXTO EM CONTEXTO

Como Mibar ben Joabe estava errado! Jonas não faz nenhuma confissão aqui. O que leremos em seguida combina com isso, ainda que Jonas tenha admitido que era responsável por ter posto o navio em perigo, sem mencionar a perda da carga. Ele também não pede nada. O que ele diz a Yahweh é dominado pelo que foi chamado de outra das grandes orações: "Obrigado, obrigado, obrigado". Portanto, ou devemos imaginar esse ato de louvor como algo empreendido por ele dentro do peixe, na expectativa do momento em que o peixe o teria cuspido para fora, ou esse é o ato de louvor empreendido por ele dentro do peixe porque o peixe é o meio de sua libertação; isso significava que ele não se afogou. Seja como for, o fato é que Jonas esteve no ventre do Sheol, no abismo, praticamente morto. Mas ele sabia que poderia e deveria olhar para o palácio de Yahweh nos céus (o que ele pôde fazer até mesmo dentro do peixe!) e que Yahweh havia respondido a ele ali.

DE **PARA**
Gerson ben Maate, Jonas
em Gate-Hefer

A meu senhor Jonas ben Amitai, em Nínive:

À luz do relato feito por seu assistente do que aconteceu com você, sinto-me totalmente confuso. Se Yahweh lhe ordenou que fosse a Nínive para repreendê-la, por que, então, foi na direção oposta? Meu sentimento é que essa seria exatamente a incumbência que gostaríamos que Yahweh confiasse a você. Na realidade, teríamos esperado ver você vindo via Gate-Hefer, a caminho de Nínive! Poderíamos ter tido uma grande celebração do que Yahweh faria ao aniquilar os assírios! Não é de admirar que Yahweh o tenha perseguido após você zarpar na direção oposta! Aqueles pobres marinheiros estrangeiros! Portanto, o que você fará agora? Achamos que você deveria voltar a se consultar com Yahweh. Talvez ele perdoe você por zarpar pelo Mediterrâneo e o encarregue novamente da missão. Talvez ainda tenhamos a oportunidade dessa celebração e vejamos fumaça subindo de Nínive.

DE **PARA**
Mibar ben Joabe, Gerson ben Maate,
escriba e assistente do profeta *em Gate-Hefer*
Jonas ben Amitai, em Nínive

³:¹A palavra de Yahweh veio a Jonas pela segunda vez: ²"Levante-se, vá à grande cidade de Nínive e exclame para ela a mensagem que eu lhe darei".

³Jonas levantou-se e foi para Nínive, de acordo com a palavra de Yahweh. Nínive era uma cidade extraordinariamente grande, sendo necessários três dias para percorrê-la. ⁴Jonas começou a andar pela cidade, percorrendo-a por um dia. Ele proclamou: "Mais quarenta dias e Nínive será destruída". ⁵Os ninivitas creram em Deus, proclamaram jejum e vestiram-se de panos de saco, do maior deles ao menor deles.

⁶A palavra alcançou o rei de Nínive, e ele se levantou do trono, tirou seu manto, vestiu-se de pano de saco e sentou-se sobre cinzas. ⁷Ele fez as pessoas proclamarem em Nínive, por decreto do rei e seu grande povo: "Seres humanos e animais (manadas e rebanhos) não deverão provar coisa alguma. Eles não deverão pastar; eles não devem beber água. ⁸Eles deverão se cobrir de pano de saco, seres humanos e animais, e clamar a Deus com todas as suas forças. Todos eles deverão se converter do seu mau caminho e da violência das suas mãos. ⁹Quem sabe talvez Deus volte atrás e mude de ideia, afaste a sua ira, e talvez não morramos".

¹⁰Deus viu o que eles fizeram, que se converteram do mau caminho, e mudou de ideia quanto à desgraça que havia anunciado que levaria a eles. Ele não a executou.

⁴:¹Mas isso pareceu mal a Jonas, como uma coisa muito ruim. Ele ficou furioso.

²Ele orou a Yahweh: "Ó, Senhor, não foi isso que eu disse quando ainda estava na minha terra? Foi por isso que eu me pus antes a fugir para Társis, pois eu sabia que tu és Deus misericordioso, compassivo, muito paciente, cheio de fidelidade e que mudas de ideia quanto a fazer algum mal. ³Por isso agora, Yahweh, peço-te que tires a minha vida, porque para mim morrer será bom, melhor do que viver".

⁴Yahweh disse: "Sua fúria foi boa?"

⁵Jonas saiu da cidade e sentou-se num lugar a oeste da cidade. Ele armou uma tenda ali e sentou-se debaixo dela, à sombra, para poder ver o que aconteceria na cidade. ⁶Yahweh Deus providenciou o crescimento de uma planta trepadeira *kikayon* e ela cresceu até dar sombra em sua cabeça e livrá-lo daquilo que o estava incomodando. Jonas ficou muito contente por causa da *kikayon*. ⁷Mas Deus providenciou uma lagarta na madrugada do dia seguinte e ela atacou a *kikayon*, que, então, secou; ⁸e ao nascer do

sol, Deus trouxe um vento oriental avassalador, e o sol atacou a cabeça de Jonas. Ele foi ficando cada vez mais fraco e pediu para morrer. Ele disse: "Melhor para mim é morrer; é melhor do que viver".

⁹Deus disse a Jonas: "Foi boa sua fúria por causa da planta?". Ele disse: "Minha fúria foi boa, a ponto de morrer". ¹⁰Yahweh disse: Você teve pena da planta, que você não cultivou e que você não fez crescer, que nasceu numa noite e morreu numa noite. ¹¹Não deveria eu ter pena da grande cidade de Nínive, onde há mais de cento e vinte mil pessoas que não sabem distinguir a mão direita da esquerda, além de muitos animais?" (3:1—4:11).

TEXTO EM CONTEXTO

A segunda metade da história explica que Jonas entendeu mais do que alguém seria capaz de imaginar. Ele sabia que Yahweh está comprometido com o aniquilamento de potências opressoras, mas também sabia que Yahweh tem ainda mais interesse na ideia de sua conversão do pecado. Joel mencionou esses fatos aos quais Jonas se refere (Joel 2:12-14), e Jonas ficaria contente com a respectiva aplicação a Israel. Ele não tem tanta simpatia pela ideia de opressores se convertendo e escapando. Ele acha que opressores devem ser castigados. No entanto, a maioria dos cento e vinte mil "que não sabem distinguir a mão direita da esquerda" (Jonas 4:11) não estaria diretamente envolvida na formulação da política imperial, embora provavelmente eles fossem beneficiários dela. Porém, assim como Yahweh não desiste de Nínive, ele também não desiste de Jonas. Ele tenta alcançá-lo por meio da planta *kikayon* (não sabemos o que era) e da lagarta e do vento quente. Não descobrimos se ele teve êxito. Mibar ben Joabe deixa que Gerson ben Maate reflita pessoalmente sobre a pergunta de Yahweh.

6

CARTAS A
MIQUEIAS

Miqueias era contemporâneo de Amós e de Isaías. Ele era de uma cidade que ficava nas encostas das montanhas a oeste de Jerusalém, a alguns dias de caminhada da capital. Ele é como Amós, no sentido de ser um comunicador magistral, em especial por chamar a atenção das pessoas e, em seguida, desferir um golpe certeiro nelas. Dessa forma, ele começa falando sobre os pecados de Samaria, e poderíamos imaginar as pessoas acenando em sinal de aprovação em Jerusalém; em seguida, ele passa aos próprios pecados de Jerusalém. Ele começa pelo fato de a casa dele ficar na região que experimenta em primeiro lugar qualquer invasão que aconteça a Judá — é de onde os exércitos invasores com frequência vêm — e ele explora esse fato. Os habitantes de Jerusalém ouviram falar de Gate, Safir, Bete-Leafra, Láquis, Adulão e assim por diante (Miqueias 1:2-16) — a primeira carta se refere a isso. Sua mensagem propriamente dita é comparável à de Isaías ao declarar que Judá está em apuros em razão do que está acontecendo em sua atitude para com Yahweh e nos relacionamentos das pessoas entre si, que por isso uma calamidade está vindo, mas que esse não é o fim da história.

DE
Asiel ben Mibsão,
líder dos anciãos em Láquis

PARA
Miqueias

Ao meu senhor Miqueias, de Moresete, em Jerusalém:

Meus colegas e eu estamos preocupados com a forma que sua pregação está colocando em risco os ânimos aqui em Láquis. Nossa cidade não é a capital de Judá e nós não temos templo aqui, tampouco o rei tem um palácio aqui. No entanto, há um argumento a ser exposto, de que Láquis é pelo menos tão importante quanto Jerusalém ao seu próprio modo. Ou pelo menos há um argumento a ser exposto de que nossa cidade tem importância imprescindível para Jerusalém. Nós guardamos os acessos ocidentais a Jerusalém. Uma vez que você mesmo não viveu longe daqui, sabe que somos muito mais importantes do que qualquer outra cidade de Judá que não seja Jerusalém. O caminho mais prático para um exército chegar a Jerusalém envolve passar por aqui.

Temos de admitir que você foi esperto em sua forma de produzir em nós um falso sentimento de segurança com sua pregação. Você convocou as nações do mundo para serem julgadas e passou a impressão de estar prestes a condená-las por seus pecados. Então, passou a reprovar os pecados em Samaria, que é sempre um modo eficaz de evocar aplausos em Judá. Em seguida, passou à própria cidade de Jerusalém, e isso também pode ter um resultado favorável aqui nas encostas das montanhas. Mas o problema é que você acabou se voltando contra nós.

Temos de admitir que você foi esperto no uso que fez dos nossos nomes. Você mandou as pessoas não contarem a Gate sobre uma invasão, e Gate foi a cidade na qual Davi mandou as pessoas não contarem sobre a morte de Saul e Jônatas! Você disse às pessoas em Bete-Leafra, cujo nome soa como se fosse "casa de poeira", que elas devem se revolver no pó! Você disse às pessoas em Safir, "a Bela", que acabarão ficando nuas e humilhadas! E nos disse para prepararmos nossos "carros", o que aponta para nosso nome, e então sugeriu que o motivo de os prepararmos seria uma fuga! Por meio desta carta, deixamos claro a você: Láquis não é uma cidade cujo povo foge! Temos muralhas sólidas e podemos resistir a qualquer cerco. No entanto, você transformou nossa qualidade em um pecado, como se possuir força militar e recursos bélicos de algum modo fosse errado!

DE ──────────────── **PARA**
Miqueias,   Asiel ben Mibsão
de Moresete

2:1 Ouçam, vocês que maquinam desgraça,
    planejando o mal em suas camas.
Quando alvorece, eles o executam,
    pois está ao alcance de suas mãos.
2 Cobiçam campos e os roubam para si —
    casas, e se apossam delas.
Defraudam um homem e sua casa,
    um indivíduo e o que lhe pertence.

3 Portanto, assim disse Yahweh:

Vejam, aqui estou eu planejando uma desgraça contra essa família
    da qual vocês não livrarão seu pescoço.
Vocês não andarão de cabeça erguida,
    pois será um tempo muito ruim.

4 Naquele dia,
    alguém proferirá um poema contra vocês,

lamentará, com lamúria, gemendo.
Ele está dizendo: "Estamos arruinados, arruinados,
    ele troca a porção do meu povo.
Ai, ele a tira de mim,
    ele distribui nossos campos a alguém que
        se rebela".
⁵Por isso, não haverá ninguém
    lançando sortes por vocês
    na congregação de Yahweh.

⁶"Não preguem", pregam eles,
    "as pessoas não devem pregar acerca dessas coisas.
A desgraça não se afastará
    ⁷ª(deveríamos dizer, da casa de Jacó?).
Acaso Yahweh perdeu a paciência,
    são essas as suas obras?" [...]

¹⁰A postos! Vão!
    pois este não será um lugar para se estabelecer,
por causa da contaminação que o destruirá
    com uma grave destruição.
¹¹Se alguém estivesse perambulando por aí
    com tagarelice e mentiras enganosas,
"Pregarei para vocês acerca de vinho e de
        bebida forte",
    ele seria o pregador deste povo (2:1-7a,10,11).

TEXTO EM CONTEXTO

A maior parte da carta dos anciãos aborda a mensagem em Miqueias 1, que era principalmente uma advertência sobre Yahweh levar desgraça a Jerusalém, mas fazia pouca menção às razões para isso. Essa segunda mensagem começa com uma crítica que expressa as razões. Como ocorre quando Amós fala sobre a vida em Efraim, a crítica está focada na forma que pessoas que estão em situação favorável são capazes de se apossar da terra de outras que estão passando por dificuldade econômica. A punição será correspondente ao crime. Os especialistas em tomar posse de terras estão destinados a perder sua própria terra quando houver a invasão. Eles também perderão o direito de participar das reuniões que decidem as distribuições de terra. Entrementes, as pessoas que são suas vítimas talvez também possam sair dali, fugindo da destruição que se aproxima. Miqueias também comenta sobre como algumas pessoas que detêm poder estão tentando impedi-lo de pregar e faz um comentário mordaz sobre o tipo de pregador que satisfaria a eles.

DE
Profeta Maom ben Gazez,
líder dos anciãos, em Láquis

PARA
Miqueias

Ao meu senhor Miqueias, de Moresete, em Jerusalém:

Estou escrevendo em nome dos profetas de Judá para oferecer meu apoio à mensagem dos líderes de Láquis. Nossa vocação como profetas é levar às pessoas uma mensagem do Deus de Israel, o Deus do amor, da graça e da misericórdia. Você se refere a ele como se fosse um Deus de ira, como se sempre estivesse ameaçando nos disciplinar, trazer catástrofe. Mas, ao longo de toda a nossa história, Yahweh tem demonstrado ser um Deus que promete bem-estar ao seu povo. Ele fala sobre *shalom*. Seus planos para seu povo envolvem bem-estar, e não desgraça, dando-lhe um futuro com esperança. É nosso privilégio vivermos pela confiança nele, dependermos dele. Ele está em nosso meio.

Em nosso tempo, as pessoas de modo especial precisam de uma mensagem de esperança, e não de uma palavra negativa. Todo ano a ameaça do domínio assírio se torna mais real. Todo ano a possibilidade de invasão assíria se torna mais plausível, especialmente para aqueles de nós que vivem nas colinas entre Jerusalém e o Mediterrâneo e que, portanto, estão no caminho de um exército para as montanhas. À luz dessas ameaças, todo ano as políticas que são formuladas pelas autoridades em Jerusalém tornam-se mais problemáticas. As pessoas precisam do nosso apoio, e não do nosso ataque. Nós concordamos com os anciãos. Em nome de Yahweh, pedimos a você que pare.

DE Miqueias, *de Moresete* — **PARA** Maom ben Gazez

³:¹Eu disse: "Ouçam, vocês, chefes de Jacó,
  governantes da casa de Israel:
Por acaso não cabe a vocês saber como exercer
  autoridade?
²Vocês que são hostis ao bem e
  leais ao mal,
que arrancam a pele do meu povo,
  a carne de seus ossos,
³que comem a carne do meu povo
  e arrancam sua pele,
Despedaçam seus ossos,
  cortam-nos como se fossem para a panela,
  como carne que vai para o caldeirão".
⁴Então, clamarão a Yahweh,
  mas ele não lhes responderá.
Ele esconderá seu rosto deles naquele tempo,
  por causa do mal que demonstraram em suas práticas.

⁵Yahweh disse isto:

A respeito dos profetas que fazem meu povo desviar-se,
  que mastigam com os dentes e proclamam que
    tudo ficará bem,
Mas alguém que não coloca nada em suas bocas —
  contra esse, eles declaram guerra santa.
⁶Por isso uma noite virá sobre vocês, sem visões,
  trevas sobre vocês, sem adivinhação.
O sol se porá para os profetas,
  o dia escurecerá para eles.

⁷Os videntes serão envergonhados,
  os adivinhos, confundidos.
Todos eles cobrirão seus lábios,
  porque não há resposta de Deus.
⁸Mas, quanto a mim, estou cheio de força,
    com o vento de Yahweh
  e forte autoridade,
Para declarar a Jacó sua rebeldia,
  a Israel, o mal que cometeu.

⁹Ouçam isto, peço-lhes,
  chefes da casa de Jacó,
  governantes da casa de Israel,
Vocês que detestam o exercício de autoridade
  e entortam o que é reto,
¹⁰Alguém que constrói Sião com derramamento de sangue,
  Jerusalém, com mal.
¹¹Seus chefes exercem autoridade por suborno,
  seus sacerdotes ensinam por um preço.
Seus profetas adivinham em troca de dinheiro,
  mas se apoiam em Yahweh:
"Yahweh certamente está entre nós, não está?
  Desgraça não virá sobre nós".
¹²Por isso, por causa de vocês,
  Sião será um campo que é arado.
Jerusalém se transformará em ruínas,
    e o monte da casa [templo], em um grande santuário na floresta
      (3:1-12).

TEXTO EM CONTEXTO

Se havia profetas que literalmente se referiam a Yahweh prometendo bem-estar ao seu povo, falando sobre *shalom*, traçando planos que envolvem bem-estar, e não desgraça, e que lhes apresentavam um futuro cheio de esperança, então eles estavam prenunciando Jeremias (veja Jeremias 29:11). E, de fato, há uma ligação direta entre Miqueias e Jeremias. Quando Jeremias disse que Jerusalém seria destruída, os profetas do seu tempo disseram que ele seria morto. Mas os anciãos do seu tempo lembraram às pessoas que Miqueias havia falado sobre Sião se tornar um campo arado e que ele não havia sido morto. Aliás, segundo disseram, isso levou o rei Ezequias a orar, e Deus sentiu compaixão (veja Jeremias 26).

Já no contexto do tempo de Miqueias, a promessa de bem-estar, promessa de *shalom*, é um resumo adequado da mensagem que alguns profetas apresentavam. Esses profetas são aqueles que poderiam ser chamados de "falsos profetas", mas o Primeiro Testamento apenas os chama de os profetas, o que significa que são os profetas "regulares". Alguém como Miqueias, que apresenta uma mensagem desagradável, é a exceção. Assim como os sacerdotes, os outros profetas são remunerados por seu trabalho como ministros, mas essa remuneração distorce seu ministério. Certamente, a maioria dos profetas acreditava sinceramente ter a vocação de encorajar a comunidade em um contexto no qual ela precisava de encorajamento.

Miqueias percebe que há uma ligação entre a ameaça que todos veem pairando sobre Judá e a forma que as pessoas com poder estão se portando para com as pessoas comuns. Elas detêm o poder no governo, no mundo comercial, na educação ou no culto, e podem assegurar uma situação favorável para si mesmas, ainda que as coisas estejam difíceis para as pessoas comuns. Em última instância, se não diretamente, elas tiram a vida das pessoas pela forma que fazem o sistema financeiro e econômico funcionar. Mas Miqueias também tem poder, o tipo de poder que pertence ao vento quando Yahweh faz o vento soprar.

Será que os outros profetas diziam que ele era apenas um profeta "cheio de vento", vazio, como os efraimitas diziam sobre Oseias? Mas ele tem força e autoridade da mesma forma que as pessoas com poder têm, pois está trazendo a mensagem de Yahweh.

DE  **PARA**
Isaías ben Amoz   Miqueias

Ao meu senhor Miqueias, de Moresete:

Obviamente, encoraja-me, em grande medida, o fato de você estar proclamando ao povo de Judá o mesmo tipo de mensagem que eu estou proclamando! Estou impressionado de modo especial com o fato de ambos afirmarmos que Yahweh não rompeu com Sião ou com Davi. Ele estabeleceu um compromisso com ambos muito tempo atrás, e certamente manterá esse compromisso no longo prazo. Em outras palavras, embora os profetas que prometem bem-estar não digam a verdade agora, fazem promessas que, no fim, se tornarão verdadeiras.

Gosto da forma que sua promessa sobre Sião está posicionada em relação tanto ao que você disse antes, sobre a própria Sião, como ao que você disse sobre as nações. Você começou exortando as nações a ouvirem, quase sugerindo que Yahweh está testificando contra elas. Mas, se ele estava fazendo isso, essa também não foi a última palavra para eles. Pois Yahweh os atrairá a Sião, para aprenderem sobre os caminhos de Yahweh e ouvirem seu ensino. Se pelo menos Judá e Efraim demonstrassem essa mesma disposição! Isso significaria que o tipo de conflito de que ouvimos falar entre a Síria, de um lado, e Amom, Moabe e Edom, do outro lado, seria coisa do passado, pois Yahweh teria resolvido a situação deles. Você também estava certo em sua repreensão severa de Sião por haver sido construída sobre derramamento de sangue: que expressão terrível! Assim, se Sião deve estar elevada e atrair as nações a si mesma de um modo positivo, isso precisa significar que Sião é diferente. Tento imaginar, o que você acha que é o desafio implícito de Yahweh a Sião agora?

Você é mais sutil em sua crítica a Acaz e Ezequias do que eu! E, ao falar de um rei e de alguém que reina, você está se referindo com mais frequência a Yahweh do que a Acaz ou Ezequias. Você não abandonou a promessa de Yahweh feita a Davi, mas com alguma sutileza você não o menciona — apenas faz menção a Belém e, portanto, a alguém cuja origem é muito antiga. Assim, você sugere que Yahweh fará algo que é novo, mas, ao mesmo tempo, antigo, algo em continuidade com o que é antigo, mas em descontinuidade com o reinado que experimentamos. Assim como o rei originário de Belém, ele será um pastor, o que envolve autoridade, mas também inclui provisão, e não saques. Mas quem é a mãe dele? Você a caracteriza como alguém que dará à luz, que é a mesma expressão que usei em minha mensagem a Acaz sobre uma moça que terá um filho! Ele também será um "governante", e não um rei. E se importará com os israelitas do norte, e com os judaítas, ou os dias deles estão contados?

DE ──────────── **PARA**
Miqueias　　　　　　　　　　　Isaías ben Amoz
de Moresete

⁴:¹Nos últimos dias,
　　o monte da casa de Yahweh será
estabelecido como o principal entre os montes,
　　elevado acima das colinas.
Os povos afluirão a ele;
　　²muitas nações virão e dirão:
"Venham, subamos até o monte de Yahweh,
　　à casa do Deus de Jacó,
De modo que ele nos ensine seus caminhos
　　E, assim, possamos andar em suas veredas".
Pois a instrução virá de Sião,
　　a palavra de Yahweh, de Jerusalém.
³Ele decidirá entre muitos povos,
　　e reprovará nações numerosas, até mesmo
　　　　as mais remotas.
Eles forjarão arados de suas espadas,
　　E podadeiras de suas lanças.
Nenhuma nação erguerá a espada contra outra nação;
　　elas não aprenderão mais sobre batalhas.
⁴Eles se sentarão, cada qual,
　　debaixo de sua videira e debaixo de sua figueira,

E ninguém os incomodará —
    pois a boca de Yahweh dos Exércitos
        disse isso.
⁵Pois todos os povos andam,
    cada um em nome do seu deus,
Mas nós mesmos andaremos
    em nome de Yahweh, nosso Deus, continuamente e
        para sempre.

⁶Naquele dia (declaração de Yahweh):

    Reunirei os mancos, ajuntarei os que foram expulsos,
        e aqueles a quem fiz algo mau.
    ⁷Farei dos mancos um remanescente,
        dos marginalizados, uma nação numerosa.
    Yahweh reinará sobre eles no monte Sião,
        de agora em diante e para sempre [...]
    ⁹Então, por que vocês estão gritando?
        por acaso não há um rei entre vocês?
    Seu conselheiro pereceu,
        para que esteja se contorcendo tanto quanto
            uma mulher que dá à luz? [...]
    ¹⁰ᶜVocês irão para muito longe, para a Babilônia,
        mas de lá serão resgatados.
    Lá Yahweh restabelecerá vocês
        da mão de seus inimigos (4:1-10).

    ⁵:²Mas você, Belém em Efrata,
        pequena entre as tribos de Judá,
    De você, sairá para mim
        alguém que será governante em Israel,
        cuja origem está em um passado remoto,
            nos dias antigos.
    ³Portanto, ele os entregará até que
        aquele que dará à luz dê à luz

> E aqueles que restaram de seus irmãos
> voltem aos israelitas.
> ⁴ᵃEle se levantará e pastoreará com o vigor de Yahweh,
> na majestade do nome de Yahweh, seu Deus (5:2-4a).

TEXTO EM CONTEXTO

A resposta à pergunta final de Isaías está em Miqueias 5:3. Aquela que dará à luz talvez seja a sra. Sião, a sra. Belém ou a sra. Judá, mas não podemos censurar os leitores cristãos por encontrarem Maria aqui. A resposta à pergunta anterior de Miqueias sobre o desafio de Miqueias a Sião agora está em 4:5, que apresenta um desafio a Judá no tempo deles. Essa pergunta chama a atenção para outra questão que é intrigante, mas que não pode ter resposta. A própria passagem de Isaías 2:2-4 inclui a mesma promessa sobre a casa de Yahweh que Miqueias 4:1-3 apresenta. Talvez Yahweh tenha feito a promessa por meio de Miqueias (e o manuscrito de Isaías também a inclui) ou talvez a tenha feito por meio de outra pessoa (e ambos os profetas a incluem a partir disso). O fato de que ela aparece duas vezes nos Profetas poderia sugerir seu grau de importância!

DE — Rei Ezequias ben Acaz

PARA — Miqueias

A meu senhor Miqueias, de Moresete:

Algumas linhas suas geraram dúvida em mim. Esta é uma versão delas:

> Ele declarou a vocês, povo, o que é bom,
> o que Yahweh exige de vocês:
> Apenas justiça, amar a fidelidade
> e andar humildemente com o seu Deus.

O problema aqui é que as pessoas interpretam essas palavras de várias formas diversas. Você poderia explicá-las? As palavras são realmente vagas. O que você tem em mente com a palavra *justiça*? Esse é um termo um tanto abstrato, e significa muitíssimas coisas para pessoas diferentes. O mesmo é o caso da palavra amor: quando digo ao meu filho pequeno que o amo, isso é basicamente um sentimento. E fidelidade: por quanto tempo alguém persiste em ser fiel quando as pessoas não são fiéis?

Essas perguntas são muito práticas para mim. Como rei, tenho alguma responsabilidade em relação à justiça. A própria palavra sugere exercer autoridade, tomar decisões de execução. Em que exatamente devo focar minha atenção? Sei que amar, na realidade, não é apenas um sentimento; é uma ação. Assim, como posso amar Yahweh com minhas ações? Expressamos nosso amor no culto. Apresentamos sacrifícios. Quão grandes nossos sacrifícios devem ser para mostrar a Yahweh que nosso amor é sincero? Tenho responsabilidade em relação à fidelidade, por assegurar que as pessoas mantenham seus compromissos com Yahweh e umas com as outras. Como faço isso? Tenho de encarar o fato de certamente estarmos sob ameaça militar, pois os assírios têm um apetite insaciável por expandir seu império. Diante disso, o que significa "andar humildemente com Yahweh"? Isso significa confiar que ele cuidará de nós, e então não tomarmos nenhuma medida para garantir a própria defesa?

DE — Miqueias de Moresete

PARA — Rei Ezequias ben Acaz

⁵:⁹Sua mão se levantará sobre seus adversários,
  e todos os seus inimigos serão exterminados.

¹⁰Naquele dia (declaração de Yahweh):

  Arrancarei seus cavalos do meio de vocês
    e destruirei suas carruagens.
  ¹¹Eliminarei as cidades de sua terra,

    e derrubarei todas as suas fortalezas.
¹²Eliminarei os feitiços de suas mãos,
    e vocês não terão mais adivinhos.
¹³Arrancarei suas imagens
    e seus pilares do meio de vocês.
Vocês não se curvarão mais
    diante de uma obra feita por suas mãos.
¹⁴Desarraigarei os postes-ídolos do meio de vocês,
    e aniquilarei suas cidades (5:9-14).

⁶:¹⁰Acaso devo esquecer-me da casa ímpia
    dos depósitos ímpios,
    da maldita medida diminuída?
¹¹Acaso eu seria puro se portasse balanças desonestas,
    com uma bolsa de pesos falsos? —
¹²Cujos ricos estão cheios de violência,
    cujos habitantes falam mentiras
    e têm uma língua que é engano na sua boca? [...]

¹⁵Vocês — vocês plantarão, mas não colherão;
    vocês — vocês pisarão azeitonas, mas não se ungirão com azeite
    e uvas, mas não beberão vinho.
¹⁶ªVocês têm obedecido aos estatutos de Omri,
    a todas as práticas da casa de Acabe (6:10-16a).

⁶:⁶De que forma eu poderia apresentar-me diante de Yahweh,
    curvar-me diante do Deus Altíssimo?
Deveria apresentar-me diante dele com holocaustos,
    bezerros de um ano de idade?
⁷Yahweh se agradaria com milhares de carneiros,
    com miríades de ribeiros de azeite?
Deveria oferecer meu primogênito por minha rebelião,
    o fruto do meu corpo pelo próprio mal que cometi?
⁸ªEle mostrou a vocês, povo, o que é bom (6:6-8a).

CARTAS A MIQUEIAS   143

> ### TEXTO EM CONTEXTO
>
> Essas mensagens de Miqueias que imagino serem dirigidas ao rei Ezequias começam com uma promessa de que Judá obterá uma grande vitória contra os assírios. Eles serão "exterminados" (5:9). Mas essa promessa leva a uma declaração de que Yahweh ameaça "derrubar" os recursos militares de Judá e seus recursos religiosos. O fato de a promessa e a ameaça serem colocadas lado a lado significa que as pessoas poderão obter a vitória apenas se derem atenção às advertências.
>
> A descrição de corrupção do parágrafo seguinte aponta para práticas que correspondem às leis e práticas de Omri e Acabe, que governaram em Efraim um século antes (veja 1Reis 21:1-14). E isso, obviamente, é um grande insulto. O relato de Acabe também faz referência específica a alguém oferecendo seus filhos como sacrifício humano, com a implicação de que Acabe ao menos o tolerava (veja 1Reis 16:34). Portanto, a pergunta sobre que tipo de sacrifício seria possível oferecer a Yahweh não é apenas teórica. Na verdade, a carta de Ezequias mostra que ele sabia o que Yahweh de fato considerava "bom". Em primeiro lugar, significa assegurar que o poder seja exercido de uma forma que expresse e estimule a fidelidade. Depois significa submeter-se a Yahweh em vez de confiar que você sabe o que fazer e depender de seus próprios recursos.

DE PARA
Azarias ben Urias,   Miqueias
sacerdote em Jerusalém

Ao meu senhor Miqueias, de Moresete:

Tenho várias perguntas para fazer a você, mas todas, na realidade, são aspectos de uma só pergunta. Você acha que está sendo mais pessimista em relação a Judá do que deveria ser? Poderia haver dois sentidos para você estar sendo excessivamente pessimista. Um é sua avaliação extremamente negativa das pessoas. Estou envolvido em um ministério no templo, e as pessoas não me parecem assim tão terríveis. Algumas aparecem ao alvorecer e no crepúsculo, quando apresentamos os sacrifícios matinais e vespertinos. Algumas famílias comparecem para apresentar ofertas quando uma mãe deu à luz em segurança e o bebê está bem. O fato é que os vejo se portando de forma exemplar, mas, quando eles vão para casa, a situação é diferente?

Mesmo que você esteja certo em sua avaliação das pessoas, também pergunto se não está sendo pessimista demais ao advertir que Yahweh realmente será tão severo em nos disciplinar. E, se você está certo, não tenho certeza de como essa advertência está relacionada à caracterização que Yahweh apresentou de si mesmo no Sinai. Yahweh trouxe um castigo terrível sobre nós ali, e poderia ter sido o fim, e na realidade Yahweh disse a Moisés que seria o fim, mas Moisés o convenceu a mudar de ideia. Em relação a isso, ele apresentou a Moisés aquela descrição profunda de si mesmo como um Deus compassivo e misericordioso, paciente, cheio de fidelidade e veracidade, um Deus que mantém sua fidelidade a milhares, que perdoa a transgressão, a rebelião e o pecado. Isso ainda é verdade?

DE   **PARA**
Miqueias   Azarias ben Urias,
de Moresete   *sacerdote em Jerusalém*

7:1aAi de mim! Pois me tornei
    como o ajuntamento dos frutos de verão,
    como as respigas da vindima [...]
2O homem fiel desapareceu da terra,
    não há um justo sequer entre os homens [...]
5Não creia em um vizinho,
    não confie em um amigo.
Daquele que dorme em seus braços
    guarde os segredos de sua boca.
6Pois o filho age de forma abominável para com o pai,
    a filha se rebela contra a mãe,

a nora, contra a sogra;
>os inimigos de uma pessoa são as pessoas
>>de sua casa.

⁷Mas eu mesmo dependerei de Yahweh,
>esperarei por meu Deus, aquele que me livra;
>meu Deus me ouvirá.

⁸Não se alegre a meu respeito, minha inimiga;
>quando eu cair, me levantarei.

Quando eu me sentar na escuridão,
>Yahweh será minha luz.

⁹Suportarei a ira de Yahweh,
>quando tiver pecado contra ele,

até que ele execute julgamento por mim
>e exerça autoridade por mim.

Ele me fará sair para a luz,
>eu verei sua fidelidade [...]

¹⁷ᵇQue saiam tremendo de suas fortalezas
>para Yahweh, nosso Deus,
>>que estejam com pavor e temor diante de ti!

¹⁸Quem é Deus comparável a ti, que perdoas
>>a impiedade
>e esqueces a rebelião do remanescente de
>>teu domínio?

Ele não retém sua ira para sempre,
>pois tem prazer na fidelidade.

¹⁹Quando ele tiver compaixão de nós de novo,
>pisará em nossos atos de impiedade;
>>ele atirará todos os nossos pecados nas
>>>profundezas do mar.

²⁰Mostrarás fidelidade a Jacó,
>misericórdia a Abraão,
>>conforme prometeste aos nossos antepassados nos dias antigos
>>>(7:1a,2-9,17-20).

TEXTO EM CONTEXTO

Miqueias, aparentemente, acha que o sacerdote é mais positivo com respeito às pessoas do que deveria ser. Talvez haja um conflito entre o que as pessoas são quando vão ao culto e o que são em casa e no trabalho. De fato, o relato de Miqueias da vida em Jerusalém o faz soar como um trecho de uma história de espionagem.

Por outro lado, ele não parece achar que o sacerdote é positivo demais em sua visão de Yahweh. De fato, Miqueias acrescenta um par próprio de imagens a uma confirmação das palavras de Yahweh no Sinai. Yahweh pisará em nossas impiedades como um exército pisa seus inimigos; ele arremessará nossos pecados nas profundezas do mar, de onde, então, eles não mais poderão ser recuperados.

7

CARTAS A
NAUM

O manuscrito de Naum começa dizendo aos leitores que é um pronunciamento sobre Nínive, a capital do Império Assírio no século 7 a.C. Portanto, agora já se passou um século desde o tempo de Miqueias. Naum não fala sobre Jerusalém ou Sião, e ele faz uma só menção a Judá, ao prometer que esse povo se tornará livre quando Yahweh trouxer a destruição de Nínive. A destruição e, portanto, a queda do Império Assírio ocorreram como Naum prometeu, em 612 a.C., pelas mãos dos babilônios e dos medos. O acontecimento teria vindicado Naum, por ser presumivelmente um fator na confirmação de que ele é um profeta genuíno de Yahweh e em fazer seu manuscrito encontrar o devido lugar nas Escrituras.

DE
Hilquias ben Salum,
sacerdote em Jerusalém

PARA
Naum

Ao meu senhor Naum, de Elcos:

Meu prezado antepassado Azarias perguntou ao profeta Miqueias, de Moresete, se ainda podia tomar como certa a grandiosa descrição feita por Yahweh de si mesmo como compassivo e misericordioso, paciente, cheio de fidelidade e verdadeiro, aquele que mantém a fidelidade a milhares, que perdoa a impiedade, a rebelião e o pecado. Essa foi uma pergunta sombria e pessimista, embora ele tenha culpado Miqueias por seu lado sombrio, e Miqueias lhe deu uma resposta tranquilizadora.

Tenho mais uma razão para pensar nessa descrição de Yahweh. Há uma história sobre um profeta anterior, Jonas de Amitai, que foi para Nínive para proclamar a mensagem de Yahweh à cidade. Ele disse aos ninivitas que sua cidade seria derrotada, e eles se converteram do mal que haviam cometido e de sua violência. Portanto, Yahweh mudou de ideia quanto a seu plano para a derrota da cidade. Jonas não ficou contente, pois estava esperando ansiosamente a cidade receber seu justo castigo, e Yahweh o lembrou daquela descrição de si mesmo, que Miqueias confirmou. Na realidade, Jonas já sabia que essa não era apenas uma caracterização da postura de Yahweh em relação a Judá. Ela poderia aplicar-se a uma potência imperial opressiva como os assírios. Esse era o motivo de ele não querer estimulá-los a mudar e escapar do juízo.

Confesso que tenho muita simpatia por Jonas. Se, de fato, os assírios tivessem se convertido de seu pecado e de sua violência, eu ficaria contente com Yahweh desviando sua intenção de destruí-los. Seria extraordinário se a Assíria pudesse tornar-se um império benevolente, generoso e justo! Que ideia excelente! Mas impérios não se tornam impérios ou permanecem impérios sendo benevolentes, generosos e justos. Pergunte a qualquer um por aí. Pergunte aos filisteus. Em Judá, não somos as únicas pessoas capazes de confirmar isso. O rei Sargão se vangloriou da forma que os conquistou na época de Miqueias e, ao mesmo tempo, dispensou o mesmo tratamento a todo o Judá, exceto à própria Jerusalém.

Quando Yahweh se apresentou a Moisés como compassivo e misericordioso, paciente, cheio de fidelidade e de verdade, aquele que mantém fidelidade a milhares, que perdoa a impiedade, a rebelião e o pecado, acrescentou que ele não somente absolvia as pessoas; ele também castigava a impiedade das pessoas de uma forma que também afeta as gerações seguintes.

Assim, como isso se aplica a Nínive em nosso tempo?

DE ———————————————————————— **PARA**
Naum,   Hilquias ben Salum,
de Elcos   sacerdote em Jerusalém

1:2Yahweh é um Deus zeloso e vingador;
    Yahweh é vingador e é cheio de ira.
Yahweh se vinga de seus adversários,
    reserva indignação contra seus inimigos.
³Yahweh é paciente, mas tem grande poder
    e certamente não trata as pessoas como livres de culpa.
Yahweh — seu caminho está no vendaval e na tempestade,
    as nuvens são a poeira de seus pés.
⁴Ele repreende o mar e o faz secar,
    faz todos os rios secarem.
Basã e Carmelo desfalecem,
    as flores do Líbano definham.
⁵Os montes tremem por causa dele,
    as colinas se derretem.
A terra se levanta diante dele,
    o mundo e todos os que nele vivem.
⁶Diante de sua condenação, quem pode resistir,
    e quem pode levantar-se contra o fogo de sua ira? —
Seu furor se derrama como fogo,
    e os rochedos se despedaçam diante dele.
⁷Yahweh é bom, uma fortaleza no dia da opressão,
    e reconhece aqueles que se refugiam nele (1:2-7).

2:6As comportas dos rios se abrem, o palácio se derrete;
    ⁷está decretado: ela está exilada, ela foi tomada.

Suas servas gemem como o som de pombas,
   batendo em seus peitos.
⁸Nínive era como um tanque de água antigo,
   mas eles estão fugindo.
"Parem, parem",
   mas ninguém consegue fazê-los olhar para trás (2:6-8).

Há uma sagacidade maldosa em como Naum começa sua descrição de Yahweh. Na forma apresentada (adjetivos e particípios), ele é exatamente como a autodescrição trazida por Yahweh no Sinai. Mas, em relação ao conteúdo, é o exato oposto — embora, no mesmo contexto do Sinai, Yahweh também se caracterize como zeloso, e em outros lugares a Torá se refira à vingança dele e ao fato de ele expressar sua ira. De novo, Yahweh se caracterizou no Sinai como paciente — mas isso não significa que nunca tenha dito ao final: "Basta". Além disso, ele afirmou ali que certamente não absolve pessoas que não têm integridade como se tivessem, e Naum aqui repete a mesma expressão. Portanto, Yahweh vive na tensão entre ser o Deus do amor e ser o Deus que não pode simplesmente fingir-se de cego para o mal, e de tempos em tempos ele precisa decidir quando e como se expressar da primeira ou da segunda forma. E, quanto a Nínive, chegou a hora de tratar uma cidade culpada como realmente culpada. Judá não executará destruição, mas a ação de Yahweh também significará alívio para Judá.

DE ⟶ PARA
Hilquias ben Salum, Naum
sacerdote em Jerusalém

Ao meu senhor Naum, de Elcos:

Meus companheiros e eu temos tratado das implicações de sua mensagem de que Yahweh destruirá Nínive, como Jonas chegou a dizer. Pessoas diferentes levantaram perguntas diferentes. Em primeiro lugar, Yahweh é justo? Miqueias declarou que a própria cidade de Jerusalém seria destruída — e não foi. Jonas descobriu que Nínive não seria aniquilada, mas você disse que, sim, será. Será que Nínive é tão pior que nós? Será que Yahweh os trata de forma diferente de nós? Estamos correndo o mesmo risco que eles estão correndo? É arriscado nos regozijarmos de sua mensagem?

DE — Naum, de Elcos

PARA — Hilquias ben Salum, sacerdote em Jerusalém

³:¹Ouça, cidade de derramamento de sangue,
    toda ela está cheia de mentiras,
cheia de roubos,
    de onde as presas não escapam.
²O som de um chicote,
    o som do estrondo de uma roda,
um cavalo galopando,
    uma carruagem saltando,
³cavaleiros subindo, espadas reluzindo,
    lanças cintilando, uma multidão de dilacerados,
muitos cadáveres, defuntos inumeráveis,
    pessoas tropeçando por cima dos corpos mortos.

⁴Tudo por causa das prostituições desenfreadas da prostituta,
    a mestra encantadora de feitiçarias,
que vende nações com suas prostituições,
    e famílias com suas feitiçarias.
⁵Aqui estou contra você (uma declaração de Yahweh dos Exércitos):
    exporei suas vestes sobre seu rosto.
Mostrarei às nações sua nudez,
    aos reinos, sua vergonha.
⁶Lançarei abominações sobre você,
    eu a humilharei e farei de você um espetáculo;
⁷todos os que a virem fugirão
    e dirão: "Nínive está destruída!

Quem a lamentará,
   onde buscarei quem a console?".

¹⁸Seus pastores foram dormir, ó rei da Assíria;
   seus nobres cochilam.
Seu povo se espalhou pelos montes,
   e ninguém o está ajuntando.
¹⁹Não há cura para seu mal;
   sua ferida é grave.
Todos os que ouvem as notícias a seu respeito
   batem palmas para você,
   pois quem não recebeu infortúnio
   causado por você, continuamente? (3:1-7,18,19).

TEXTO EM CONTEXTO

Quão sábios foram os sacerdotes ao fazerem essas perguntas! E quão sutil Naum continua sendo! Miqueias caracterizara Jerusalém como uma cidade construída sobre derramamento de sangue (Miqueias 3:10), e "cidade do derramamento de sangue" é a própria expressão usada por Ezequiel para caracterizar Jerusalém (Ezequiel 22:2; 24:6). Ezequiel também fala da prostituição de Jerusalém, como Jeremias (por exemplo, Jeremias 2:20; Ezequiel 16:30). As expressões que Naum usa indicam boas razões para Yahweh se voltar contra Nínive. Mas as coisas que se aplicam a Nínive também se aplicam a Jerusalém. E a descrição visionária da conquista de Nínive usa as mesmas imagens que os profetas para descrever a conquista de Jerusalém sobre a qual advertem. A mesma situação ocorre na apresentação de pastores que falham em seu dever, no povo espalhado e na impossibilidade de cura. Você só pode alegrar-se no fato de Yahweh aniquilar seu senhorio imperial se você não participa das transgressões do império.

8

CARTAS A
HABACUQUE

Enquanto Naum imagina a queda de Nínive e a queda do Império Assírio, Habacuque imagina, paralelamente, a ascensão da Babilônia e dos caldeus, que, de fato, eram os sucessores dos assírios como o poder imperial no Oriente Médio, perto do fim do sétimo século a.C. O próprio livro de Habacuque tem a forma de um diálogo, como este livro. Dessa forma, adaptaremos o diálogo de Habacuque com Yahweh e o transformaremos em um diálogo com Habacuque.

DE	PARA
Elisama ben Pelete	Habacuque

Ao meu senhor Habacuque:

Pertenço à tribo de Issacar, no norte, mas moro aqui em Jerusalém. Minha história é complicada. A porção de terra dos meus antepassados ficava perto da cidade de Jezreel, onde o rei Acabe acabou construindo seu palácio. Presumo que você conheça a história. Nossa terra incluía uma vinha perto do palácio, e o rei queria apossar-se da terra para usá-la como a horta de seu palácio. Ele ofereceu ao meu antepassado, Nabote, um pedaço de terra alternativo. Eu teria aceitado, mas, aparentemente, Nabote era um sujeito teimoso e não concordou com isso. Assim, o rei acabou inventando uma mentira sobre Nabote ter lançado uma maldição contra ele, convenceu os anciãos de que isso era verdade e conseguiu que Nabote fosse executado, apossando-se, então, de nossa terra, de maneira que os membros de nossa família acabaram se tornando meeiros. Isso, por si só, foi ignominioso, pois ser dono da própria terra é parte do que permite alguém andar de cabeça erguida. Mas acabamos nos virando; afinal, tínhamos o suficiente para comer.

Então, no tempo devido, os assírios se apossaram daquela região inteira de Efraim, fazendo minha família sentir que isso pelo menos era o que os reis de Efraim mereciam. Minha família se mudou para o sul, para Samaria, e eles se tornaram meeiros ali. Então, obviamente, os assírios fizeram a mesma coisa de novo. Mais uma vez, meus familiares conseguiram sair e não ser levados para a Assíria, na condição de migrantes forçados. Perceba que ser camponês tem suas vantagens: você pode pôr-se a caminho rapidamente! Assim, eles saíram de Samaria e se mudaram para cá, começando tudo de novo. Aqui em Jerusalém, meu tataravô começou a trabalhar para um oleiro e aprendeu o ofício, que se tornou o ofício da família, e acabamos herdando a casa do oleiro. Mas agora o rei decidiu que deseja ampliar seu palácio e está despejando nossa família da casa. Não é algo tão ruim quanto o que aconteceu em Jezreel, mas também não é muito diferente.

Preciso dizer que, para mim, tudo isso torna difícil crer em Yahweh como o Deus que supostamente se importa com que as pessoas sejam tratadas corretamente. Como clamar sobre essa violência a Yahweh se ele não ouve nem nos livra? Por que ele faz minha família assistir, repetida e permanentemente,

CARTAS A HABACUQUE

as autoridades nos tratando de forma injusta? Por que não há justiça? Por que Yahweh simplesmente deixa pessoas infiéis oprimirem pessoas fiéis?

DE — Profeta Habacuque

PARA — Elisama ben Pelete

¹:⁵Observem as nações,
   olhem e fiquem completamente perplexos.
Pois farei algo em seus dias,
   algo em que não creriam se lhes fosse contado.
⁶Pois aqui estou, e levantarei os caldeus,
   a nação cruel e impetuosa,
que vai até os extremos longínquos da terra,
   para se apoderar de moradias que não lhe pertencem.
⁷Ela é terrível e temível;
   sua autoridade e sua dignidade vêm dela mesma.
⁸Seus cavalos são mais velozes que os leopardos,
   mais ferozes que os lobos ao anoitecer;
seus cavalos vêm a galope;
   seus cavalos vêm de longe.
Eles voam como a águia que se apressa para devorar;
   ⁹todos vêm cometer violência.
O foco de seus rostos é para frente;
   e eles ajuntam cativos como areia.
¹⁰Ela debocha dos reis,
   os governantes são seu objeto de zombaria.
Ela ri de todas as fortalezas,
   robustecendo terra, conquista-as.
¹¹Então, o vento sopra forte e passa,
   e eles se tornam culpados, pois seu poder é seu deus (1:5-11).

TEXTO EM CONTEXTO

Dessa forma, a resposta de Yahweh é que ele fará os babilônios irem contra Judá e, especificamente, contra sua liderança tirânica. "Caldeus"

(v. 6) é outro termo para babilônios. A Caldeia é uma região no sudeste da própria Babilônia, mas uma dinastia caldeia governou a Babilônia por um tempo e, portanto, a Caldeia acabou se tornando um nome para a própria babilônia, em parte semelhante à forma que os anglos e os francos (ambos os grupos eram germânicos!) deram nome à Inglaterra e à França.

DE — Elisama ben Pelete

PARA — Habacuque

Ao meu senhor Habacuque:

Mas que solução fantástica! Achei que você fosse dizer algo mais moral do que isso! Usar os babilônios para trazer problemas aos reis de Judá não é nem um pouco melhor do que usar os assírios para trazer calamidade a Acaz e Efraim! Isso também significará mais sofrimento para as pessoas comuns. Embora eu considere os reis de Efraim e de Judá pessoas infiéis, estou começando a achar que é melhor vê-los governando do que ter um rei babilônio. Os babilônios são exatamente tão ruins quanto os assírios. Eles são um povo que está envolvido em prejudicar imerecidamente outros povos, assim como os assírios. Eles não são leais a ninguém. Eles são impiedosos e cruéis na forma de ação no mundo. Como Yahweh consegue ficar parado, observando-os engolir outros povos? Eles são semelhantes aos pescadores no lago da Galileia, que lançam uma rede enorme, na qual todos os peixes são capturados e morrem, e então os pescadores vão para casa e comemoram. Os babilônios são como esses pescadores, e nós seremos os peixes. Suponho que seja assim que as superpotências agem.

DE — Profeta Habacuque

PARA — Elisama ben Pelete

²:³ªPois ainda há uma visão sobre um tempo determinado,
    ela dá testemunho do fim, e ela não
        enganará [...]
⁴Olhe aí, seu apetite dentro dele
    está inchado, não é reto;

mas aquele que é fiel viverá pela sua
    veracidade.
⁵Quanto mais o vinho trai
    o homem arrogante.
Ele não permanecerá,
    aquele que deixou seu apetite ser tão largo quanto o Sheol.
Aquele que é como a morte,
    mas não fica satisfeito,
aquele que reúne para si todas as nações,
    ajunta para si todos os povos [...]
⁶Ouça, aquele que acumula o que não é seu —até quando
    aumentará as dívidas para si mesmo?
⁷Não se levantarão de repente seus credores?
    Aqueles que o fazem tremer despertarão,
    e você servirá de despojo para eles.
⁸Porque você é aquele que despojou muitas nações,
    todos os povos que restaram o despojarão,
por causa do derramamento de sangue e da
        violência contra a terra,
    a cidade e contra todos os que nela habitam.

⁹Ouça, você que obtém lucros desonestos,
    uma desgraça para a sua casa,
para pôr seu ninho no alto,
    para escapar das garras do infortúnio [...]

¹²Ouça, você que edifica uma cidade com derramamento de sangue,
    que estabelece uma cidade com maldade [...]

¹⁶ᵇO cálice da mão direita de Yahweh
    se chegará a você,
com vergonha em lugar do seu esplendor.

¹⁷Pois sua violência contra o Líbano o cobrirá,
    sua destruição de animais, que os apavora,

por causa do derramamento de sangue e da violência contra
    a terra,
    a cidade e todos os que nela habitam [...]

[19a]Ouça, você que diz à madeira: "Desperte",
    "Levante-se", à pedra muda,
    para que ela possa ensinar [...]
[20]Mas Yahweh está no templo sagrado —
    cale-se diante dele, toda a terra (2:3a,4-9,12,16b,17,19a,20).

TEXTO EM CONTEXTO

Yahweh reconhece a legitimidade da observação de Elisama e sabe que tem de haver diferença entre sua forma de tratar uma pessoa que é fiel e a forma de tratar pessoas como os babilônios. Eles receberão seu próprio castigo merecido no tempo devido — e eles o recebem ao serem dominados pelos persas, após manterem um império por um período relativamente curto. Em uma bela imagem, Habacuque compara os babilônios à própria morte, que nunca está satisfeita com o número de pessoas engolidas. Haverá justiça poética: aqueles que despojaram se tornarão despojo; aqueles que cometeram violência contra a natureza (florestas e animais) serão as vítimas de violência; aqueles que acharam que poderiam voltar-se a ídolos e não entenderam que entregaram procurações a coisas feitas de madeira e de pedra se verão em silêncio diante do Deus real.

DE **PARA**
Elisama ben Pelete   Habacuque

Ao meu senhor Habacuque:

Yahweh em seu templo sagrado! Nos céus! Que toda a terra fique em silêncio diante dele! Sinto que fui colocado no meu devido lugar. E, se ele realmente agir, de bom grado serei colocado no meu lugar. Mas quais são as implicações a respeito de como é Yahweh? Ele virá pessoalmente para resolver a situação em Judá? De onde ele virá? Você viu Yahweh vindo? O que você viu? Como será sua chegada? Acaso será como o êxodo? Haverá tremor, como no Sinai?

E você está satisfeito com essa resposta de Yahweh? Como devo falar a Yahweh a esse respeito? Nos momentos difíceis (por exemplo, uma vinha tirada de uma pessoa, como no caso do meu antepassado Nabote, ou alguém que tenha sido despejado de sua casa, como aconteceu à família dele), o que devemos pensar sobre isso? Sei que posso apresentar meus protestos a Yahweh. Há alguma outra coisa? Diga-me como você oraria.

DE ································ **PARA**
Profeta Habacuque   Elisama ben Pelete

³:³Deus vem de Temã,
   o santo do monte Parã. (*Levante-se*)
Sua majestade cobriu os céus,
   seu louvor encheu a terra.
⁴Seu esplendor chega como o alvorecer,
   os raios de sua mão,
   e ali está o esconderijo de sua força.
⁵A peste vai adiante dele,
   a praga segue seus passos.
⁶Ele parou e fez estremecer a terra;
   ele olhou e agitou as nações.
Montes antigos racharam,
   velhas colinas se abateram.
Os caminhos antigos são dele,
   ⁷no lugar da aflição que eu vi
⁸estás irado com os Rios, Yahweh,
   tua ira é contra os rios,
   tua ira é contra o mar,
quando montas teus cavalos,
   tuas carruagens trazem livramento?
⁹Ele prepara totalmente seu arco,

suas flechas estão no lugar. (*Levante-se*)
Com os rios, fendeste a terra;
   ¹⁰ªquando te veem, os montes se contorcem.
Uma torrente de água passa,
   o abismo fez ouvir sua voz [...]
¹³ªSaíste para o livramento do teu povo,
   para o livramento dos teus ungidos [...]

¹⁷Ainda que a figueira não floresça
   e não haja fruto nas videiras,
o produto da oliveira decepcione
   e os campos não produzam alimento,
alguém extermine o rebanho do curral
   e não haja gado nos estábulos:
¹⁸mesmo assim eu exultarei em Yahweh,
   eu me alegrarei no Deus que me livra.
¹⁹O Senhor Yahweh é a minha fortaleza,
   ele faz os meus pés como os da corça,
faz-me andar sobre os lugares altos (3:3-10a,13a,17-19).

TEXTO EM CONTEXTO

A visão de Habacuque apresenta Yahweh vindo do Sinai, com o tipo de reverberação e efeito posterior que poderíamos esperar. Isso inspira reverência e é extraordinário e assustador, mas significa o livramento de seu povo e do rei ungido do povo. E significa que eles talvez experimentem catástrofe (a descrição poderia implicar a devastação produzida por uma invasão militar ou por uma colheita que falha), mas esse fato não os impedirá de se exultar em Yahweh, pois eles sabem que ele é o Deus que livra — e que, de fato, livrará no tempo devido.

9

CARTAS A
SOFONIAS

A introdução a Sofonias diz respeito a um período geral para ele: é o tempo do rei Josias de Judá (640-609 a.C.), significando que é, de novo, aproximadamente o mesmo período de Naum e Habacuque (e Jeremias), o tempo durante o declínio da Assíria e a ascensão da Babilônia. O reino de Josias assistiu a uma grande reforma da religião de Judá (veja 2Reis 22—23), e a mensagem de Sofonias talvez aponte para a primeira parte desse reino, em que há grande necessidade de reforma.

DE	PARA
Gedalias ben Amarias	Sofonias

Ao meu senhor Sofonias ben Cuchi:

Seu avô está aqui! Preciso lhe escrever sobre o estado da religião em Jerusalém. Você sabe que a maior parte da minha vida se passou no terrível reinado do rei Manassés, que Deus não o tenha, e o rei Amom não foi muito melhor. Nessa época, foi-nos recomendado — aqueles de nós que estávamos horrorizados com o estado das coisas em Jerusalém — que não nos manifestássemos.

Você sabe como os efraimitas estavam inclinados a servir aos deuses tradicionais de Canaã nos templos cananeus tradicionais, não? Mesmo com a melhor das intenções no mundo, teria sido difícil interrompê-los. Eles tinham aquelas duas grandes catedrais nacionais, em Dã e Betel, mas o tamanho geográfico de Efraim significava que a maioria das pessoas estava longe demais para ir para lá com frequência. Restava-lhes ir a esses santuários locais, e teria sido praticamente impossível controlar o que acontecia nesses lugares, mesmo que qualquer pessoa tentasse fazê-lo. De uma forma estranha, somos afortunados em Judá, pois nosso país é muito menor — pelo menos a área na qual a maior parte das pessoas vive é menor. A maioria das pessoas pode ir para Jerusalém caso queira, e os sacerdotes que moram nas redondezas podiam exercer mais controle do que havia nos santuários locais.

Tudo isso mudou com Manassés. Talvez o motivo tenha sido, em parte, as pessoas de Efraim que vieram para cá após a queda de Samaria. Talvez outro fator tenha sido o fato de que Manassés se sentiu pressionado para deixar a religião assíria exercer influência em Judá. Talvez ainda as pessoas de Judá não aguentassem mais a situação, sendo obrigadas a pagar tributos substanciais ao centro imperial, bem como a Jerusalém. E, de uma forma ou de outra, a relação de Judá com Yahweh desmoronou.

Mas, então, a situação mudou em uma direção que é potencialmente mais positiva. Judá acabou aprendendo mais uma coisa de Efraim. Judá aprendeu a assassinar um rei. Portanto, algumas pessoas se livraram de Amom. Não estou dizendo exatamente que aprovo o que foi feito. Mas estou pronto para ver o lado positivo dessa situação. E mais um pedaço do lado positivo é que os assírios estão em declínio terminal. Eles perderam o controle de nossa parte do seu império. Dessa forma, as pessoas que colocaram o pequeno Josias no trono têm a oportunidade de pôr em ordem a religião de Judá, bem como sua situação econômica. A pergunta é: será que eles farão isso?

Então, o que você tem a dizer, meu neto? O que você acha que Yahweh tem a dizer agora?

DE PARA
Sofonias ben Cuchi,   Gedalias ben Amarias
filho de Gedalias

¹:⁴Estenderei a mão contra Judá,
    e contra todos os habitantes de Jerusalém.
Eliminarei deste lugar
    o remanescente do Senhor,
    os nomes dos estagiários de sacerdote com os sacerdotes,
⁵aqueles que se prostram nos telhados
    diante do exército nos céus,
aqueles que se prostram, que juram, a Yahweh
e juram por Milcom,
⁶aqueles que se desviam de seguir a Yahweh
    e não buscam Yahweh nem o consultam.

⁷ªCalem-se diante do Senhor Yahweh,
    pois o Dia de Yahweh se aproxima [...]

¹²Nesse tempo,
    vasculharei Jerusalém com lâmpadas.
Eu castigarei aqueles
    que estão tranquilos nos seus abrigos,

que estão dizendo a si mesmos:
"Yahweh não fará bem e ele
não fará mal".
¹³Suas riquezas serão saqueadas,
suas casas serão destruídas.
Eles construirão, mas não morarão [nelas],
plantarão vinhas,
mas não beberão o vinho delas [...]

¹⁴ᵇO som do Dia de Yahweh é amargo;
o homem forte gritará nesse dia.
¹⁵Aquele dia será um dia de ira,
um dia de opressão e aflição,
um dia de ruína e destruição,
um dia de trevas e escuridão,
um dia de nuvens e negridão,
¹⁶um dia de toques de trombeta e gritos,
contra as cidades fortificadas
e contra as torres altas [...]
¹⁷Seu sangue será derramado como pó,
suas medulas, como esterco (1:4-7,12-16,17b).

²˸³Busquem Yahweh, todos os humildes da terra,
que cumpriram seus mandamentos.
Busquem a fidelidade;
busquem a humildade;
talvez vocês consigam esconder-se
no dia da ira de Yahweh (2:3).

TEXTO EM CONTEXTO

Sofonias apresenta ameaças radicais a respeito do Dia de Yahweh como um tempo de trevas, e não como um tempo de bênçãos. Essas ameaças correspondem às de um profeta como Amós e também às advertências na Torá, mas elas são aplicadas ao contexto específico no tempo de Sofonias. Ele enfatiza a infidelidade religiosa de Judá, que também será o foco da própria reforma que ocorrerá. Yahweh lidará com o ato e a maneira que as pessoas servem ao "Senhor", Baal, até o último resquício dele. Ele lidará com a dependência deles da orientação proporcionada pelos poderes dos céus, as estrelas e os planetas,- com Milcom sendo seu suposto "rei". Ele lidará com a convicção deles de que Yahweh nunca fará nada — ele nada fez durante o meio século do reino de Manassés, não é mesmo? Portanto, Sofonias chama as pessoas para que se voltem a Yahweh.

Há alguns paradoxos na forma de ele apresentar seus chamados. Ao se dirigir a pessoas "humildes" (2:3), ele passa a impressão de estar se dirigindo a pessoas ordinárias. Mas, então, refere-se a elas como pessoas que asseguram a implementação de governo ou autoridade. Essas são pessoas que têm poder. Elas apenas estão se afirmando humildes no sentido de serem submissas a Yahweh. E, se são pessoas que ocupam posições de poder, o que Sofonias já disse torna improvável que elas tenham agido dessa forma submissa. Portanto, essa é a razão de ele prosseguir desafiando-as a serem o que afirmam ser. Elas devem tornar-se fiéis e humildes em relação a Yahweh. Então, talvez elas consigam escapar da catástrofe que se aproxima.

DE ─────────────────────────────── **PARA**
Gedalias ben Amarias   Sofonias

Ao meu senhor Sofonias ben Cuchi

Isso é fantástico e assustador! Ainda bem que sabemos que as ameaças devastadoras de Yahweh são tanto um ato de desafiar as pessoas a mudarem como uma declaração de intenção. Ainda bem que há alguma possibilidade de Judá prestar atenção e reformar as coisas. Temos mais espaço para reforma agora que a Assíria está em declínio. Politicamente, podemos escapar de coisas das quais não teríamos escapado antes. Talvez esse seja o motivo de Yahweh estar fazendo essas declarações agora. Talvez ele estivesse sendo paciente durante o tempo de Manassés, por causa da enorme pressão que recebíamos dos assírios. Agora que as coisas mudaram politicamente, em um sentido, de forma paradoxal, essa nova situação aumenta a pressão para mudarmos a forma de nos relacionarmos com Yahweh. Mas as pessoas que colocaram o jovem Josias no trono e que, de fato, determinarão o rumo da política no país — seria melhor que elas dessem atenção às advertências que você está fazendo.

Como fica a situação política mais ampla? O declínio da Assíria é excelente para nós, mas, ao mesmo tempo, introduz certa instabilidade no que tem sido uma situação política estável durante toda a minha vida, e também ao longo de toda a sua. E os filisteus? Eles estiveram sob o controle assírio de forma ainda mais rígida que nós, em parte por estarem lá embaixo no litoral e na rota comercial da Mesopotâmia para o Egito. No período que passamos sob o domínio assírio, nós e eles não temos lutado uns contra os outros. Mas, durante séculos, a situação foi diferente. Às vezes éramos mais fortes do que eles; outras vezes, eles eram os mais fortes.

No outro lado do país, do outro lado do Jordão, Efraim e Judá sempre viveram em tensão com os moabitas e os amonitas. Após a partida dos assírios, passaremos a disputar com eles por causa de terra que pertencia a nós. Parte é a terra que Yahweh distribuiu a nós no início.

E, ao sul, como ficará nossa relação com os egípcios? Eles foram governados pelos sudaneses até os assírios conquistarem o Egito, mas, com o desaparecimento dos assírios, o que acontecerá ao Egito? Obviamente, esperava-se que a nação reconquistasse parte de sua antiga força, tornando-se nosso novo aliado em potencial. Mas profetas como Isaías nos avisavam sobre nos envolvermos com o Egito, assim como nos avisou sobre nos envolvermos com os assírios. Deveríamos confiar em Yahweh. Esse tipo de questão voltará a surgir.

Com certeza viveremos tempos interessantes. O que você acha que Yahweh tem a dizer sobre isso?

DE		PARA
Sofonias ben Cuchi, *filho de Gedalias*		Gedalias ben Amarias

²:⁴Gaza será abandonada,
    Ascalom será arruinada.
Asdode será expulsa ao meio-dia,
    Ecrom será desarraigada [...]
⁶A região junto ao mar se transformará
    em abrigos,
    cisternas de pastores, currais para animais [...]
⁸Eu ouvi os insultos de Moabe,
    as zombarias de Amom.
⁹ᵇMoabe se tornará como Sodoma,
    os amonitas, como Gomorra: [...]
¹²Vocês também, ó cuxitas:
    atravessados pela minha espada.
¹³E ele estenderá a mão contra o norte
    e destruirá a Assíria.
Ele fará de Nínive uma ruína,
    seca como o deserto [...]

³:¹Ouça, cidade rebelde e impura,
    cidade opressiva!
²Ela não ouviu voz alguma,
    ela não aceitou correção.
Ela não confiou em Yahweh,
    ela não se aproximou do seu Deus.
³Seus oficiais no meio dela
    são leões que rugem.
Suas autoridades são lobos do anoitecer;
    não deixam os ossos
        para a manhã seguinte.
⁴Seus profetas são arrogantes, homens desleais;

seus sacerdotes profanam o que é sagrado, eles
> violam a lei.
⁵ªYahweh é fiel no meio dela;
> ele não pratica o mal [...]

⁸ᵈPois, com meu fogo zeloso,
> toda a terra será consumida.
⁹Pois, então, darei aos povos
> palavras puras,
de modo que todos eles invoquem o nome de Yahweh,
> para que sirvam a eles juntos, ombro a ombro
>> (2:4-6,8,9b,12,13; 3:1-5a,8d,9).

TEXTO EM CONTEXTO

Olhando para trás, percebemos que aqui Sofonias está fazendo o que qualquer pessoa esperaria caso tivesse lido Amós. Em primeiro lugar, ele declara que Yahweh lidará com os povos vizinhos de Judá que poderiam representar uma ameaça para eles, que são os presentes dominadores de Judá ou que, aparentemente, seriam recursos plausíveis para a nação. E, nas décadas seguintes, Judá olhou para a edificação sob essa perspectiva. Portanto, suas palavras constituem uma promessa de proteção, libertação e restauração, mas também uma advertência sobre a falsa confiança.

É após essas declarações contra tais outros povos que os paralelos com Amós se tornam significativos, pois as declarações acabam conduzindo a algo sobre a própria Jerusalém. Nas palavras de Sofonias sobre outros povos, há relativamente poucos comentários sobre as más ações deles — apenas que eles cobiçam a terra de Jerusalém e que são excessivamente confiantes e arrogantes. Ao passar a falar sobre as próprias más ações de Jerusalém, Sofonias tem muito mais a dizer. Ele fala sobre sua resistência a ouvir a repreensão e a correção de Yahweh, e sobre sua confiança nele, a corrupção de seus

> líderes e sua resistência a perceber o que ele está fazendo quando destrói outros povos.
>
> E o que talvez seja pior: Yahweh transforma as outras nações em meios para trazer desastre a Judá. E transformará as próprias nações em adoradores de Yahweh.

DE **PARA**
Gedalias ben Amarias   Sofonias

Ao meu senhor Sofonias ben Cuchi:

Inicialmente, isso foi mais encorajador do que eu esperaria, mas o fato é que Yahweh nunca diz o que você espera ouvir. Nossos vizinhos estão fadados à ruína, mas nós também estamos. Então, Yahweh fará surgir um novo povo enorme que servirá a ele, não filisteus, não moabitas ou amonitas e não egípcios, mas também não judaítas?

Em certo sentido, não poderíamos nos queixar. Mas, de alguma forma, poderíamos, sim, com base em algo que esteve implícito em suas declarações sobre Jerusalém. A maioria dos judaítas é composta por pessoas comuns, gente que só está tentando viver como lavradores, pastores e pais. Os oficiais, as autoridades, os profetas e os sacerdotes é que são as pessoas infiéis. As pessoas comuns de Judá são suas vítimas. Elas não merecem ser aniquiladas.

Há mais uma coisa. Muito tempo atrás, Yahweh estabeleceu um compromisso conosco como povo e com nossa cidade. Ele não estabeleceu esse compromisso por tornarmo-nos merecedores dele. Ele apenas o estabeleceu, apesar do que éramos e também por causa do que éramos. Ele pode, de fato, simplesmente nos abandonar agora? Acaso ele não se vinculou a nós, mesmo que o tenhamos decepcionado? Ele não é como um pai ou uma mãe que não podem dizer que seus filhos não são mais seus filhos? Ele disse algo nesse sentido a Oseias, que, então, também fez uma pergunta a esse respeito.

Ambas considerações apontam em mais uma direção. Será que Yahweh não tem a obrigação consigo mesmo, e também conosco, de resistir à tentação de nos abandonar? Ele não tem a obrigação consigo mesmo e conosco de tomar o tipo de medida que fará algo em relação às forças que operam em favor da opressão, da mentira e da autoconfiança? Será que ele não tem a obrigação consigo mesmo e conosco de levar encorajamento e cura às pessoas comuns que estão em posição desvantajosa por causa da prosperidade daquelas que têm poder, ideias e energia aplicados em benefício próprio?

DE ———————————— **PARA**
Sofonias ben Cuchi, Gedalias ben Amarias
filho de Gedalias

³:¹¹Naquele dia,
    vocês [Jerusalém] não se envergonharão de todos os seus
        atos,
com os quais se rebelaram contra mim.
Porque tirarei do meio de vocês
    as pessoas que exultam no seu orgulho [...]

¹²Eu deixarei no meio de vocês
    um povo humilde e pobre,
    e eles se refugiarão no nome de
        Yahweh [...]
¹³ᶜPorque eles serão os que pastorearão
    e sossegarão,
e ninguém os perturbará.

¹⁴Rejubile-se, sra. Sião,
    exulte, ó Israel [...]
¹⁵ᵇYahweh, o rei de Israel, está em seu meio;
    nunca mais você precisará temer
        coisas más [...]

¹⁶ᵇNão tema, ó Sião;
    não se enfraqueçam suas mãos.

¹⁷Yahweh, seu Deus, está no seu meio;
   um guerreiro que liberta.
Ele exultará em você com alegria,
   ele manterá a paz em seu amor,
   ele se regozijará em você com júbilo.
¹⁸Aqueles que choram pelas festas fixas —
   eu os ajuntarei dentre vocês;
   sobre vocês, eles têm sido um peso, uma afronta.
¹⁹Aqui estou, agirei contra todos os seus
      opressores
   naquele tempo.
Salvarei os aleijados,
   ajuntarei os que foram expulsos.
Eu farei deles um objeto de louvor e renome
   cuja vergonha estava na terra inteira.

²⁰Naquele tempo eu trarei vocês —
   sim, naquele tempo eu os ajuntarei.
Pois eu os farei um objeto de renome e louvor
   entre todos os povos da terra,
      quando eu restaurar a sua sorte diante dos seus próprios olhos
         (disse Yahweh) (3:11-20).

TEXTO EM CONTEXTO

Gedalias estava certo em ambas as observações feitas. Yahweh diz que ele lidará especificamente com os líderes da cidade, pessoas como políticos e pastores, as pessoas que falham em seu ministério. Por outro lado, ele tomará conta das pessoas comuns. E, sim, Yahweh pode ameaçar abandonar Jerusalém, e ele acabará fazendo isso (e a cidade será conquistada pelos babilônios), mas ele também promete que voltará ao local no tempo devido. Em outras palavras, embora ele pretenda abandoná-los pela forma que tratam outro deus como Milcom, "seu rei", ele promete que estará presente na cidade como o

"Rei de Israel". E o fato de formar um novo povo de adoradores desde o meio das nações não excluirá fazer coisas para o próprio povo de Judá que o tornarão um objeto de milagre.

10

CARTAS A
AGEU

Yahweh abandonou Jerusalém em 587 a.C. e deixou os babilônios destruírem a maior parte da cidade e devastarem o templo. Então, cinquenta anos depois, os persas puseram um fim aos babilônios, Yahweh voltou e os judaítas deram início à tarefa de restaurar o templo. Mas houve conflitos entre os grupos que queriam participar desse projeto, e o trabalho foi interrompido por cinquenta anos. Então, um novo regime se iniciou na Pérsia, e alguma liderança em relação ao templo foi exercida por um príncipe davídico, Zorobabel; um sacerdote, Josué; e dois profetas, Ageu e Zacarias.

DE ——————✉️·············· **PARA**
Joiaquim ben Josué,   Ageu
sacerdote em Jerusalém

Ao meu senhor Ageu:

Você sabe que meu pai me nomeou como gerente de projeto em relação ao trabalho de restauração do templo aqui em Jerusalém e o trabalho na cidade de modo mais geral. Vim com ele da Babilônia, quando os persas encarregaram os judaítas de voltar para restaurar o templo (e de orar pelo imperador ali!). Nós colocamos o altar em atividade novamente e meu pai apresentou as ofertas. Pessoas que não haviam sido levadas para a Babilônia, ou que se haviam refugiado em Amom ou em algum outro lugar e, de algum modo, haviam conseguido voltar para Judá, por vezes oravam naquela "carcaça" de templo, mas não existia praticamente nenhum sacerdote entre eles e não haviam feito nada para possibilitar que um culto fosse novamente celebrado ali. Essas pessoas haviam deixado o templo no estado em que se encontrava, ou seja, destruído. Até então, provavelmente teria sido um tanto perigoso fazer qualquer coisa quanto à destruição ali: não acho que os babilônios teriam gostado disso. Isso teria parecido um ato de rebelião.

    Mas agora estávamos livres para reunir as pedras dispersas do altar e apresentar algumas ofertas para purificá-lo (lembre-se de que as tropas da Babilônia haviam feito coisas não mencionáveis ali). E então, pela primeira vez em cinquenta anos, ofertas queimadas foram apresentadas como uma expressão de nosso compromisso com Yahweh e de nossas orações para Yahweh voltar ali e estar conosco, ajudando-nos a restaurar a cidade — e, na realidade, também para nos proteger. Embora não tivéssemos necessidade alguma de nos preocupar com os babilônios agora, havia outros povos vizinhos que não achavam que nossa volta era um acontecimento tão extraordinário assim.

Os persas também nos haviam concedido um empréstimo que cobriria os custos básicos do trabalho de restauração, de modo que conseguimos pedir cedro ao Líbano, o que Salomão fez quando construiu o templo. Ele veio pela costa, até chegar ao rio Yarcom, e então pudemos fazê-lo flutuar rio acima um trecho, até chegar o momento árduo do processo de puxarmos a madeira por terra até a própria cidade de Jerusalém. Mas, no final das contas, a logística não era nosso único problema. Alguns desses outros povos queriam participar da construção, e não tínhamos certeza de que eles estavam suficientemente comprometidos com Yahweh para concordar com sua participação. Então, ao lhes negarmos participação, eles colocaram os oficiais persas locais contra nós e tornaram impossível a continuação do nosso trabalho.

Mas, então, após a morte de Ciro e Cambises, há uma nova administração na Pérsia, e eu tenho a impressão de que poderíamos reiniciar o trabalho. Mas o problema é que as pessoas em Judá estão pensando em outras coisas, e não podemos censurá-las por isso. Os babilônios foram mais completos em sua destruição das áreas residenciais na cidade do que em sua destruição do templo. Foi mais fácil — as casas das pessoas não são feitas do tipo de pedra que foi usado na construção do templo. Todos os telhados das casas das pessoas foram queimados, ocorrendo o mesmo com qualquer coisa feita de tijolos manufaturados. Dessa forma, as pessoas que voltaram e não puderam encontrar onde sua família morava simplesmente não conseguiram reinstalar-se em uma casa e relaxar. Elas foram ocupar ruínas e, gradualmente, estão tentando tornar novamente suas moradias habitáveis. Elas precisam fazê-lo em seu tempo livre, enquanto também estão se deslocando para a terra cultivável, a fim de cultivar o suficiente para comer ou trabalhar na terra de outras pessoas. Como se isso não bastasse, tem chovido pouco. O resultado é que as pessoas não estão passando fome, mas também não estão prosperando.

Assim, estou travado, e gostaria de saber o que Yahweh talvez esteja nos dizendo. Devemos ser práticos e dizer: "Tudo bem, suspendemos o trabalho por mais alguns anos até ele se tornar viável"? Ou o que devemos fazer?

DE — Ageu

PARA — Joiaquim ben Josué

¹:⁴Acaso é o tempo de vocês morarem em casas luxuosas, enquanto esta casa continua em ruínas? ⁵Por isso, agora Yahweh dos Exércitos disse isto: "Pensem no que tem acontecido com vocês". ⁶"Vocês plantaram muito, mas recolheram pouco. Vocês comem, mas não se fartam. Vocês bebem, mas não se embriagam. Vestem-se, mas não ficam aquecidos. E aqueles que recebem salários os depositam em uma bolsa furada [...] ⁸Subam para os montes, tragam madeira e construam uma casa, e eu me agradarei dela e serei honrado", disse Yahweh. ⁹Vocês esperavam muito, mas, vejam aí — muito pouco. Por que motivo? (uma declaração de Yahweh dos Exércitos). É porque a minha casa está em ruínas, e vocês estão correndo cada um por causa de sua própria casa. ¹⁰É por isso que o céu acima de vocês reteve o orvalho e a terra reteve o seu fruto, ¹¹e eu mandei uma seca sobre a terra, sobre os montes, sobre o trigo, sobre o vinho novo, sobre o óleo fresco, sobre tudo o que a terra produz, sobre os homens, sobre os animais e sobre todo o trabalho das mãos de vocês" (1:4-6,8-11).

TEXTO EM CONTEXTO

Essa foi uma mensagem difícil, mas às vezes Yahweh é assim. Ele está buscando um ato de fé por parte deles. Eles, então, têm de esperar e constatar o que acontecerá se reagirem....

Ageu, Zacarias e Malaquias, em especial, gostam imensamente daquele título para Deus, "Yahweh dos Exércitos", que pode sugerir más notícias, mas também boas notícias. A essa pequena colônia dominada pelo império, ele realça o fato de o Deus da pequena Judá ser o Deus com todo o poder à sua disposição.

DE ———————————————— PARA

Zorobabel ben Sealtiel,   Ageu
governador de Judá

Ao meu senhor Ageu:

Em primeiro lugar, quero agradecer-lhe pela forma que recebeu o jovem Joiaquim. Sua mensagem foi desafiadora, mas era o que as pessoas precisavam ouvir, e funcionou. Ela encorajou aqueles de nós envolvidos com a liderança e que são um pouco mais velhos que Joiaquim e sua geração. Poderíamos ter dito facilmente: "Esperemos um pouco até a situação ficar mais fácil", exatamente como fizemos após a nossa volta, quinze anos atrás. Mas você disse que Yahweh estaria conosco — e, de fato, ele esteve.

Infelizmente, e de forma paradoxal, o próprio trabalho trouxe à tona mais uma forma de desestímulo. Uma pessoa com idade suficiente para recordar o templo de Salomão precisaria ter cerca de oitenta anos. Temos apenas algumas pessoas com essa idade, e algumas estão entusiasmadas com o trabalho de restauração, porém a maioria delas lembra como o templo era e acha que nunca mais conseguiremos reproduzi-lo. E, obviamente, elas estão certas. Os babilônios saquearam tudo do templo que era vantajoso saquear. Eles não só se apossaram do ouro e da prata; eles também se apossaram da enorme quantidade de bronze e, então, queimaram tudo o que não era vantajoso levar. A administração persa tem sido generosa com ouro e prata, e também com os meios necessários para comprar cedro, e as pessoas comuns também têm-se sacrificado, mostrando-se generosas, mas nunca seremos capazes de reproduzir o templo de Salomão. Portanto, a situação é um pouco desencorajadora. Estamos sendo ambiciosos demais? Ou não estamos sendo suficientemente ambiciosos? Ou o quê?

Além disso, há algumas pessoas que nos lembram o tempo todo que Yahweh, originariamente, encomendou um santuário portátil em forma de tenda, e não um templo. E outras pessoas nos lembram de que a ideia de construir um templo foi de Davi, e não de Yahweh, e que até mesmo quando Yahweh concordou com a ideia de Davi, ele disse: "Não nesta geração; deixe-o para a geração seguinte". Outras pessoas ainda nos lembram de que o real local de Yahweh é no céu e que a noção de ele morar em um palácio feito de pedra não faz sentido algum. Ele mora com os aflitos e abatidos de espírito, com aqueles que tremem diante de sua palavra. Essas pessoas somos nós, com certeza. E, se não formos assim, nenhuma construção do templo o fará morar entre nós.

Você poderia consultar-se com Yahweh para nós e averiguar o que ele tem a dizer? Ou temos de lidar com o fato de nos dedicarmos a algo que é um erro ou temos de criar coragem!

DE  PARA
Ageu   Zorobabel ben Sealtiel

²:³"Quem entre vocês que tenha sobrevivido viu esta casa no seu primeiro esplendor? Como a veem agora? Em comparação, parece nada aos olhos de vocês, não é mesmo?

⁴Mas agora, coragem, Zorobabel (declaração de Yahweh), coragem, Josué ben Jeozadaque, sumo sacerdote, coragem, todo o povo da terra (declaração de Yahweh). Ao trabalho, pois eu estou com vocês (uma declaração de Yahweh dos Exércitos), ⁵o que celebrei com vocês quando vocês saíram do Egito. Meu espírito permanece entre vocês. Não tenham medo". ⁶Pois assim disse Yahweh dos Exércitos: "Mais uma vez, dentro de pouco tempo, farei tremer o céu e a terra, o mar e a terra seca. ⁷Farei tremer todas as nações, e as coisas mais estimadas pertencentes a todas as nações virão. Encherei esta casa de esplendor (disse Yahweh dos Exércitos). ⁸A mim, pertence a prata; e, a mim, pertence o ouro (uma declaração de Yahweh dos Exércitos). ⁹O esplendor dessa nova casa será maior que o da antiga (disse Yahweh dos Exércitos). Neste lugar eu lhe concederei bem-estar (uma declaração de Yahweh dos Exércitos)" (2:3-9).

TEXTO EM CONTEXTO

Assim, Zorobabel recebeu uma resposta direta a uma pergunta direta. Ela enfatiza que, de fato, Deus é "Yahweh dos Exércitos" e que ele tem todos aqueles recursos à sua disposição. Obviamente, aquelas outras vozes que Zorobabel citou afirmam princípios importantes. Em Êxodo, Yahweh encomendou um santuário portátil; 2Samuel relata que a ideia de construir um templo foi de Davi; e Isaías 66 lembra às pessoas onde Yahweh realmente mora. Mas o princípio de construir algo belo para Deus também é importante, assim como a disposição de Yahweh em ir morar em um lugar onde as pessoas constroem para ele, para que possam encontrá-lo ali. Yahweh diz: este é o momento de dar prioridade a esses princípios.

DE ——————————————▷———————————————— **PARA**
Zorobabel ben Sealtiel, Ageu
governador de Judá

Ao meu senhor Ageu:

Desculpe-me, sou eu de novo. Há mais um grupo de pessoas que está dizendo que não temos de nos dedicar ao esforço de restaurar o templo.

Uma das motivações para ir ao templo é que as pessoas vão lá para serem purificadas depois de terem, de alguma forma, se contaminado. Assim, algumas pessoas que voltam da Babilônia realmente apreciam o templo até mesmo em seu estado não restaurado. Elas sabem que estão impuras por terem estado na Babilônia — uma terra de falsos deuses — e podem apresentar uma oferta de purificação no templo e ser purificadas. Algumas outras pessoas que valorizam essa possibilidade são aquelas envolvidas em trabalho de reconstrução na cidade. Por vezes, elas encontram os restos de pessoas que morreram no sítio de Jerusalém, e ficam contentes em lhes proporcionar um enterro apropriado, mas também ficam contentes por poderem ir e apresentar uma oferta de purificação no templo, por causa de seu contato com uma pessoa morta. Aí também estão as mulheres que precisam apresentar uma oferta de purificação por terem dado à luz.

E eu fico extremamente comovido com os homens que percebem que fizeram algo moralmente errado, como, por exemplo, tentar passar alguém para trás em uma venda de terra ou de alguma propriedade que não era realmente deles ou como ser infiel à própria mulher. Eles sabem que precisam retificar isso com o dono ou com sua mulher, mas também sabem que precisam retificá-lo com Yahweh, pois tomaram o nome dele em vão durante a transação ou ao fazerem seus votos matrimoniais.

Mas também há aquele outro grupo de pessoas que acha que isso é tudo superstição e que essa é mais uma razão para não precisarmos dedicar todo esse esforço à restauração do templo. Elas acham que o que importa é nosso ato de nos arrepender e retificar a situação com qualquer pessoa contra quem cometemos injustiça. Também não precisamos de um ritual. Essa é mais uma razão para não tornar prioridade a restauração do templo. Temos de nos preocupar em prover casa e comida aos necessitados, e não com tabus irracionais.

O que você acha?

DE	PARA
Ageu	Zorobabel ben Sealtiel

²:¹¹Assim disse Yahweh dos Exércitos: "Vá perguntar aos sacerdotes a respeito da lei": ¹²"Se alguém levar carne consagrada na dobra de suas vestes e tocar em pão ou algo cozido ou vinho ou azeite ou qualquer outro alimento, isso ficará consagrado?". Os sacerdotes responderam: "Não". ¹³Ageu disse: "Se alguém que está contaminado pelo contato com um corpo tocar em alguma dessas coisas, ela ficará impura?". Os sacerdotes responderam: "Ficará contaminada". ¹⁴Ageu respondeu: "Assim é este povo, assim é esta nação diante de mim (declaração de Yahweh) e assim é a obra das suas mãos. O que oferecem ali é contaminado.

¹⁵Mas agora considerem isto, por favor, a partir deste dia. Antes que se colocasse pedra sobre pedra no palácio de Yahweh, ¹⁶antes desse tempo, alguém vinha a uma porção de vinte medidas e havia apenas dez; alguém vinha ao lagar para tirar cinquenta medidas e havia apenas vinte. ¹⁷Eu os feri com queimaduras, com ferrugem e com granizo, em todo o trabalho das suas mãos, mas vocês não se voltaram para mim (declaração de Yahweh).

¹⁸Agora considerem, de hoje em diante, a partir do vigésimo quarto dia do nono mês, do dia em que os fundamentos do palácio de Yahweh foram lançados. Considerem: ¹⁹ainda há semente no celeiro? Até hoje a videira, a figueira, a romeira e a oliveira não deram fruto, mas de hoje em diante abençoarei" [...]

²¹ᵇEu farei tremer o céu e a terra, derrubarei o trono dos reinos, ²²destruirei o poder nos reinos das nações e destruirei os carros de guerra e os seus condutores. Cavalos e aqueles montados neles cairão, cada um pela espada do seu próximo.

²³Naquele dia (uma declaração de Yahweh dos Exércitos), eu o tomarei, Zorobabel ben Sealtiel, meu servo (declaração de Yahweh) e o farei como um anel de selar, porque o escolhi (uma declaração de Yahweh dos Exércitos)" (2:11-23).

TEXTO EM CONTEXTO

Dessa forma, a resposta de Yahweh é: sim, as questões sobre contaminação e purificação importam. Essas regras não são apenas superstição. Elas significam algo para vocês, e também significam algo para Deus. Ele gosta que seu povo esteja purificado. Portanto, essa é mais uma razão para a restauração do templo importar (o hebraico não tem uma palavra para "templo"; o idioma chama o templo ou de "casa" de Yahweh ou de seu "palácio").

Se vocês querem um pouco mais de evidência de que isso é verdade, diz Ageu, considerem quão melhor foi a situação de vocês ao reexaminarem este ano em comparação com o anterior, agora que começaram a levar o trabalho de restauração a sério. Yahweh cumpriu sua palavra, não cumpriu?

Há mais uma questão levantada pela promessa final de Ageu. Yahweh não fez o que suas últimas palavras dizem. Mas talvez o fato de a situação estar extremamente melhor seja útil para a questão. Talvez a justaposição do restante com a promessa torne possível conviver com a promessa não cumprida. Yahweh fez uma parte do que ele disse. Portanto, agarrem-se a essa outra parte.

11

CARTAS A
ZACARIAS

Zacarias ben Berequias, o filho de Ido, foi contemporâneo de Ageu naquele contexto em que as pessoas precisavam de encorajamento para progredir na restauração do templo. De todos esses doze profetas, Zacarias foi o que recebeu o maior número de visões de Yahweh. Dessa forma, as respostas de Yahweh às "cartas" enviadas a Zacarias com frequência assumem a forma de imagens. Portanto, elas fazem as pessoas pensarem e indagarem.

No entanto, a segunda metade do manuscrito de Zacarias assume a forma de promessas enigmáticas sem nenhuma referência temporal, e não fica claro se devemos entendê-las como de Zacarias ou como de um profeta posterior, cujo nome não conhecemos. Refiro-me a elas apenas como "o profeta", mas as trato como se viessem de um período posterior durante a vida de Zacarias. A única informação concreta que temos sobre questões que elas precisam abordar procede de Isaías 56—66, dos livros de Esdras, de Neemias e de Malaquias. Elas parecem incluir muitas referências a eventos que se passaram no tempo do profeta, mas não sabemos quais eram esses acontecimentos. Portanto, muitos elementos nessas profecias permanecem enigmáticos.

DE
Josué ben Jeozadaque,
sumo sacerdote

PARA
Zacarias

Ao meu senhor Zacarias ben Berequias:

Sou grato a você pela forma que seu colega Ageu encorajou meu filho em sua responsabilidade como gerente de projeto para o trabalho no templo e meu irmão Zorobabel em sua liderança na comunidade. Agora eu mesmo tenho uma pergunta inquietante que lhe apresentarei.

No tempo do meu avô Seraías, Jeremias disse que o domínio babilônico de Judá duraria setenta anos e que os judaítas que foram levados para a Babilônia como migrantes forçados com o rei Jeconias voltariam. Não sei exatamente se devo considerar essas palavras de Jeremias uma ameaça ou uma promessa; talvez tenham sido ambas as coisas. Elas significavam que o exílio do povo não duraria pouco, mas também que não duraria para sempre. E não acho que Jeremias tivesse em mente setenta anos em vez de sessenta e nove ou setenta e um. O número foi uma forma de sugerir um período longo, porém limitado. No fim, passou-se pouco menos de setenta anos até a queda da Babilônia.

Mas Jeremias também deu a entender que o fim dos setenta anos envolveria o fim da aflição e sua substituição por bem-estar. Ele prometeu um futuro caracterizado pela esperança. Quando Ciro nos disse que poderíamos voltar para nossa terra e nos concedeu recursos para nos ajudar a restaurar o templo, achamos que esse período de cumprimento pleno havia chegado. A realidade é que fomos muito tolos. Não havíamos percebido que o que realmente acontecera foi a substituição de uma potência imperial por outra. Ainda somos um povo que vive como colônia; apenas estamos sob o domínio de uma superpotência diferente: a Pérsia, e não mais a Babilônia. E as dificuldades dos últimos quinze anos desde que voltamos realçaram esse fato.

Dito de outro modo, se entendemos "setenta" como um número preciso e iniciarmos a contagem dos setenta anos a partir da queda final de Jerusalém, constatamos que ainda não terminaram — terminarão dentro de alguns anos. E também em nossa experiência comunitária, os setenta anos realmente ainda não parecem haver terminado. Portanto, minha pergunta é: como devemos compreender a promessa de Yahweh? O que ele está fazendo conosco e com as superpotências? Devemos esperar ansiosamente pela conclusão dos setenta anos a partir da queda de Jerusalém? Será essa a chegada do Dia de Yahweh?

DE — Profeta Zacarias ben Berequias **PARA** — Josué ben Jeozadaque

¹:⁷ᵇA palavra de Yahweh veio a Zacarias ben Berequias, filho de Ido:

⁸Tive uma visão à noite: havia um homem montado num cavalo vermelho. Ele estava parado entre as murtas, em um vale profundo. Atrás dele, havia cavalos vermelhos, marrons e brancos. ⁹Eu disse: "Quem são estes, meu senhor?". O enviado que estava falando comigo respondeu: "Eu lhe mostrarei quem são". ¹⁰O homem que estava parado entre as murtas respondeu: "Estes são aqueles que Yahweh enviou para percorrer a terra".

¹¹Eles responderam ao enviado de Yahweh que estava parado entre as murtas: "Percorremos a terra. Vimos que toda a terra está tranquila".

¹²O enviado de Yahweh respondeu: "Yahweh dos Exércitos, até quando deixarás de ter compaixão de Jerusalém e das cidades de Judá, que tu estás condenando há setenta anos?". ¹³Yahweh respondeu ao enviado que estava falando comigo com palavras boas e consoladoras.

¹⁴O enviado que estava falando comigo me disse: Proclame: Assim disse Yahweh dos Exércitos: "Tenho tido grande zelo por Jerusalém e por Sião, ¹⁵e eu — eu tenho estado muito indignado com as nações que estão seguras, pois eu estava um pouco indignado, mas elas fizeram com que se tornasse

um grande mal". ¹⁶Portanto, assim disse Yahweh: "Estou me voltando novamente para Jerusalém com compaixão. Minha casa será construída ali e uma corda será esticada sobre Jerusalém". ¹⁷Proclame ainda: Assim disse Yahweh dos Exércitos: "Minhas cidades novamente transbordarão de coisas boas. Yahweh tornará a consolar Sião e tornará a escolher Jerusalém" (1:7b-17).

TEXTO EM CONTEXTO

O Império Persa era o maior império que o Oriente Médio havia conhecido, e seu imperador tinha um sistema tipicamente organizado e inteligente para ficar sabendo do que estava acontecendo em todo o seu império. Seus cavaleiros efetuavam patrulhas pelo império e traziam informações ao centro. Yahweh se apresenta como tendo um sistema equivalente para saber o que está acontecendo em seu próprio império maior. As informações que eles trazem é que está tudo tranquilo. Essa tranquilidade não é a boa notícia que aparenta ser, pois Judá quer que Yahweh cause perturbação, que ele derrube o império e restaure a própria independência de seu povo. O enviado de Yahweh (um dos seres sobrenaturais tradicionalmente chamados de anjos) o pressiona a respeito dessa questão em nome de Judá, e Yahweh promete que agirá. Isso expressará tanto compaixão como zelo por Judá, além de ira com as potências imperiais. Mas ele não diz nada mais específico sobre o cronograma desses acontecimentos.

DE → **PARA**
Joiaquim ben Josué,   Zacarias
sumo sacerdote

Ao meu senhor Zacarias ben Berequias:

Acho que você sabe que sou gerente de projeto para o trabalho de reconstrução e restauração em Jerusalém. Fiz uma consulta proveitosa com Ageu sobre questões relacionadas ao templo, mas tenho uma pergunta sobre a cidade de modo mais geral.

Embora a restauração do templo apresente certos tipos de problema associados, as dimensões do projeto estão basicamente estabelecidas. Na reconstrução da cidade, a situação é mais complicada. Você sabe que os babilônios demoliram o antigo muro em volta da cidade. O muro básico remonta aos jebuseus, embora o rei Davi o tenha reforçado e o rei Salomão o tenha estendido mais para o norte em relação à construção do templo. O rei Ezequias viria a estendê-lo na direção oeste, pois a cidade era maior em sua época, mas até mesmo essa extensão não incluiu todas as casas da cidade. A pergunta sobre a qual temos de decidir neste momento é: que tamanho a cidade deveria ter agora?

Como qualquer cidade que se preze, a nossa precisa de muros. Muros são, em parte, uma demonstração de orgulho. Mas também são uma coisa prática. O império está basicamente estabelecido agora, mas quem sabe o que o futuro nos reserva? Sabemos que as relações com os outros povos vizinhos de Judá não são muito amistosas. Quem sabe como as coisas acabarão no futuro?

Dessa forma, todos concordaram que precisamos de muros. No que diz respeito às dimensões, há uma corrente de pensamento realista que mostra que não vivem muitas pessoas em Jerusalém agora, e a única razão disso não é a situação extremamente conflituosa da cidade neste momento. A maioria das pessoas que se estabeleceram na Babilônia ou em outro lugar não nutrem o desejo de voltar para esta pequena cidade, longe de tudo. E as pessoas cujas famílias se mudaram para lugares próximos como Mispá estão contentes ali. Elas também não voltarão. Portanto (segundo essa escola de pensamento), façam a cidade do menor tamanho possível. Uma corrente de pensamento intermediária chama isso de ato de incredulidade terrível. Os fundamentos do muro de Ezequias ainda estão lá; os babilônios apenas destruíram a estrutura superior. Restauremos isso como as dimensões da cidade. E uma corrente de pensamento ainda mais visionária diz: se a cidade se estendia para o oeste e para o norte antes, que volte a ser assim!

O que você acha? Por acaso Yahweh tem alguma coisa a dizer sobre a pergunta, ou será que ele quer que usemos nosso senso comum?

DE		PARA
Profeta Zacarias ben Berequias		Joiaquim ben Josué

¹:¹⁸Levantei meus olhos e olhei: havia quatro chifres. ¹⁹Perguntei ao enviado que estava falando comigo: "O que são estas coisas?". Ele me respondeu: "Estes são os chifres que dispersaram Judá, Israel e Jerusalém". ²⁰E Yahweh me mostrou quatro ferreiros. ²¹Eu perguntei: "O que estes vêm fazer?". Ele disse: "Estes são os chifres que dispersaram Judá de tal forma que ninguém levantou a cabeça. Mas estes [os ferreiros] vieram para aterrorizá-los derrubando os chifres das nações que levantaram um chifre contra a terra de Judá, para dispersá-la".

²:¹Levantei meus olhos e olhei: havia um homem com uma corda de medir na mão. ²Eu perguntei: "Aonde você vai?". Ele me respondeu: "Vou medir Jerusalém, para saber exatamente a sua largura e o seu comprimento". ³Mas ali o enviado que estava falando comigo estava saindo, e outro enviado estava saindo ao seu encontro. ⁴Ele lhe disse: "Corra, diga àquele jovem: 'Jerusalém será habitada como povoados sem muros por causa das muitas pessoas e dos muitos animais nela. ⁵E eu mesmo serei para ela (declaração de Yahweh) um muro de fogo ao seu redor, e serei esplendor dentro dela'".

⁶"Atenção, atenção, fujam da terra do norte (declaração de Yahweh), porque eu os estou espalhando como os quatro ventos do céu (declaração de Yahweh). ⁷Atenção, Sião, escapem, vocês que vivem na sra. Babilônia. ⁸Porque assim disse Yahweh dos Exércitos (depois que o esplendor me tocou) com respeito às nações que saquearam vocês: aquele que tocou vocês estava tocando na menina dos olhos dele. ⁹Porque aqui estou, eu levantarei a minha mão contra elas. Elas se tornarão espólio para os servos delas". E vocês reconhecerão que Yahweh dos Exércitos me enviou. ¹⁰"Exulte, alegre-se, sra. Sião, pois aqui estou — virei habitar em seu meio (declaração de Yahweh). ¹¹Muitas nações se unirão a Yahweh naquele dia e se tornarão meu povo, e eu habitarei em seu meio".

E você reconhecerá que Yahweh me enviou a você. ¹²E Yahweh terá Judá como seu domínio em solo sagrado, e ele tornará a escolher Jerusalém.

¹³Cale-se, toda carne, diante de Yahweh, pois ele se levantou da sua santa morada (1:18—2:13).

TEXTO EM CONTEXTO

Joiaquim tem de perceber quão significativo é seu trabalho. O chifre de um animal é a representação de sua força. Quatro chifres sugerem os quatro pontos da bússola e, portanto, o mundo inteiro, ou ao menos o império mundial. De forma paradoxal, mas profunda, os ferreiros ou artesãos que estão reconstruindo Jerusalém e seu templo estão derrubando o império pela realização de seu trabalho. Por outro lado, Joiaquim tem de perceber o perigo de achar que ele pode calcular quão grande a cidade de Deus deve ser e a insensatez que consiste em achar que tem de se preocupar com sua proteção.

E, se sua preocupação é se ele disporá dos recursos necessários ao trabalho, ele tem de escutar Yahweh perturbando os judaítas que ainda estão na Babilônia e prometendo agir em nome de Jerusalém. Ele está se referindo a um novo tipo de dispersão, não uma dispersão negativa como a que espalhou judaítas pelo mundo inteiro no exílio, mas uma positiva, que os dispersa da Babilônia inteira de volta para Jerusalém.

Jerusalém deve alegrar-se porque Yahweh pretende voltar a morar na cidade, por meio da restauração do templo, e porque as nações se juntarão a Judá, como parte do povo de Yahweh. Assim como Habacuque insta o mundo inteiro a se calar diante de Yahweh, Zacarias insta toda carne a fazê-lo. Essa exortação é mais positiva. Toda carne será capaz de reconhecer que Yahweh agiu quanto à restauração do templo e que ele é acessível a todas as pessoas ali.

DE **PARA**
Josué ben Jeozadaque,   Zacarias
sumo sacerdote

Ao meu senhor Zacarias ben Berequias:

Escrevo a você sobre algo mais pessoal. Tenho de reconhecer que, quando estávamos bem longe de Jerusalém, era difícil evitar sermos afetados pela impureza da vida na Babilônia. Não porque a Babilônia seja impura por Yahweh não estar lá, como se ele não fosse o Deus do mundo inteiro; eu sei que ele é. E não porque ele se encontrasse ausente especificamente da Babilônia, embora, de início, meu pai tenha achado que ele poderia estar intencionalmente ausente por estarmos debaixo de sua disciplina; mas ele apareceu lá para um profeta como Ezequiel e falou a nós. Mas era difícil evitar a impureza da associação com outros assim chamados deuses na Babilônia. Pelo menos era difícil para membros do sacerdócio como meu pai e depois para mim, pois os babilônios tinham a expectativa de participarmos de suas festas. Tivemos de participar dos rituais quando a grande estátua de Marduk era carregada pelas ruas.

E as pessoas que estavam conosco na Babilônia sabiam que fazíamos isso. Elas podiam evitar isso se quisessem, pois eram leigas, e achavam que, de alguma forma, deveríamos ser capazes de evitá-lo. Mas não podíamos evitar isso, ou ao menos não evitávamos. E agora dizem que nós fizemos concessões demais — que eu fiz concessões demais — para nos envolver com liderança e ministério sacerdotal aqui em Jerusalém. Precisamos dar lugar a uma geração que não fez essas concessões.

Portanto, tenho uma pergunta relacionada à visão que tenho de mim mesmo. Será que devo aceitar que nunca mais poderei estar puro, que nunca mais serei purificado dos efeitos do que tivemos de fazer? E, então, devo aceitar que eu deveria renunciar à minha posição? Posso viver com isso, caso essa seja a vontade de Yahweh. Seria como uma pessoa aceitar que tem uma doença de pele ["lepra"] e saber que precisa tomar cuidado para não afetar outras pessoas, de modo que seria impossível a ela ir ao templo. De forma análoga, talvez eu esteja correndo o risco de tornar o templo inteiro e seus cultos impuros. Mas, se a resposta a isso é que posso ser purificado, então tenho mais uma preocupação, relacionada à forma que a comunidade me vê. Se devo continuar no meu ministério, preciso que Yahweh torne isso claro tanto para eles como para mim.

DE .... **PARA**
Zacarias ben Berequias   Josué ben Jeozadaque

³:¹Ele me mostrou o sumo sacerdote Josué diante do enviado do Senhor, e o adversário à sua direita para se opor a ele. ²Yahweh disse ao adversário:

"Yahweh o repreenda, adversário, Yahweh que escolheu Jerusalém o repreenda. Não é este um tição tirado do fogo?" ³Josué estava usando roupas impuras enquanto estava em pé diante do enviado.

⁴Ele declarou aos seres que estavam diante dele: "Tirem as roupas impuras dele", e ele lhe disse: "Veja, fiz a transgressão sair de você e agora você pode trajar vestes nobres". ⁵E eu disse: "Coloquem um turbante puro em sua cabeça". Eles colocaram o turbante limpo na sua cabeça e o vestiram com roupas enquanto o enviado de Yahweh estava ali.

⁶O enviado de Yahweh testificou contra Josué: ⁷"Assim disse Yahweh dos Exércitos: Se você andar nos meus caminhos e obedecer às minhas ordens, você julgará a minha casa e também cuidará dos meus átrios, e eu lhe darei um lugar entre os que estão aqui. ⁸Ouçam bem, Josué, sumo sacerdote, você e os seus companheiros que estão sentados diante de você, porque são homens que constituem um sinal. Pois aqui estou, eu trarei o meu servo, o renovo. ⁹Pois aqui está a pedra que coloquei diante de Josué. Em uma única pedra há sete olhos. Aqui estou, eu gravarei nela uma inscrição (uma declaração de Yahweh dos Exércitos), e eu removerei a transgressão desta terra em um único dia.

¹⁰Naquele dia (uma declaração de Yahweh dos Exércitos), cada um de vocês chamará o seu próximo para assentar-se debaixo da sua videira e debaixo da sua figueira" (3:1-10).

TEXTO EM CONTEXTO

Zacarias retrata Josué como sendo julgado na corte celestial diante de Yahweh e seus enviados ou ajudantes, com "o adversário" (3:1) sendo o advogado de acusação (a palavra traduzida por "adversário" é *satan*, mas esse é um termo hebraico comum e não devemos enxergar "Satanás" nas palavras de Zacarias). Yahweh, como o presidente da corte, descarta o caso. Não é que as acusações não tenham fundamento. A situação é que Yahweh acha mais importante ver Josué como alguém miraculosamente resgatado do fogo do que focar no cheiro de queimado nele. Portanto, Yahweh está preparado para efetuar qualquer purificação miraculosa de Josué que se faça necessária para ele ter condições de operar como sacerdote.

Isso não significa que Josué possa relaxar em relação ao seu compromisso com Yahweh. Embora, em certo sentido, não seja mais importante para ele andar nos caminhos de Yahweh do que para um leigo, visto que esse relaxamento teria consequências maiores para ele como ministro e para seu povo. Se ele trilhar os caminhos de Yahweh, terá o mesmo tipo de acesso à própria corte celestial que um profeta tem. Além disso, há algo miraculoso quanto ao fato de o grupo de sacerdotes ter podido reiniciar seu trabalho em Jerusalém. Eles são um sinal de que Yahweh não rompeu com Jerusalém. Ficará mais claro nas visões seguintes o significado desse sinal.

DE
Zorobabel ben Sealtiel,
governador de Judá

PARA
Zacarias

Ao meu senhor Zacarias ben Berequias:

Consultei-me com seu companheiro Ageu sobre as pressões de minha reponsabilidade aqui em Jerusalém, e peço desculpas por também incomodá-lo, mas sua visão sobre Josué me estimula a fazê-lo. Os obstáculos à conclusão da restauração do templo e da cidade são realmente enormes. A montanha de entulhos que temos de recolher é uma espécie de símbolo do próprio projeto. E não podemos nos esquecer de que também é um símbolo do sofrimento que nossos avós e bisavós experimentaram quando os babilônios destruíram a cidade e devastaram o templo.

Então, há os conflitos entre as pessoas aqui na cidade, sobre os quais Josué falou. E há conflitos envolvendo as pessoas ao nosso redor, judaítas que nunca foram para a Babilônia e pessoas que afirmam reconhecer Yahweh, mas em relação às quais não temos certeza da lealdade. Há conflitos com pessoas que afirmam representar a administração persa, que nos impediu de avançar na reconstrução por anos a fio. Dedico muito tempo a tentar efetuar a reconciliação com alguns desses povos ou firmar a posição com outros. Tudo isso constitui um obstáculo à realização do trabalho. Então, existem pessoas que acham que a linhagem davídica está irremediavelmente comprometida pela história dos reis ao longo dos anos que levou à queda de Jerusalém e que não estão necessariamente convictas de que devem aceitar minha liderança.

Mas algo que sempre retomo é simplesmente o tamanho do projeto. Sim, isso não era um problema para Salomão com todos aqueles trabalhadores recrutados das nações vizinhas, e não foi problema para Davi quando se tornou alguém cujas ordens as pessoas obedeceriam num piscar de olhos: sim, senhor, isso mesmo, senhor, três sacos cheios, senhor. Ninguém diz "Sim, senhor" para mim. Ninguém além de Ageu me chama de "governador".

DE — Zacarias ben Berequias **PARA** Zorobabel ben Sealtiel

$^{4:1}$O enviado que estava falando comigo voltou e me despertou como alguém que é despertado do sono. ^{2}Ele me perguntou: "O que está vendo?". Respondi: "Olhei e havia um candelabro de ouro, todo ele, com uma vasilha em cima dele e com sete lâmpadas ^{3}e duas oliveiras ao lado da vasilha, uma à direita e outra à esquerda". ^{4}Eu declarei ao enviado que estava falando comigo: "O que são estas coisas, meu senhor?". ^{5}O enviado que estava falando comigo me respondeu: "Você não sabe o que são estas coisas?". Eu respondi: "Não, meu senhor". ^{6}Ele me respondeu [...]

> "Esta é a palavra do Senhor para Zorobabel: 'Não por recursos, nem por força, mas pelo meu espírito', disse Yahweh dos Exércitos. ^{7}"Quem você pensa que é, grande montanha, diante de Zorobabel? Você se tornará uma planície. Ele tirará a pedra principal aos gritos de 'Haja graça! E graça para ela!'".
>
> ^{8}A palavra de Yahweh veio a mim: ^{9}"As mãos de Zorobabel colocaram os fundamentos desta casa e suas mãos a terminarão". E vocês reconhecerão que Yahweh dos Exércitos me enviou a vocês. ^{10}Pois quem despreza o dia das pequenas coisas? Eles se alegrarão ao verem a pedra de metal na mão de Zorobabel.

[...] "Estes sete são os olhos de Yahweh que percorrem a terra inteira". ^{11}Perguntei a ele: "O que são estas duas oliveiras à direita e à esquerda do candelabro?". ^{12}E eu lhe declarei uma segunda vez: "O que são estes dois ramos de oliveira que derramam ouro de si mesmos por meio dos dois tubos de ouro?". ¹³Ele me respondeu: "Você não sabe o que são estas coisas?". Eu respondi: "Não, meu senhor". ¹⁴Ele disse: "Estes são os dois filhos de azeite novo que estão diante do Senhor da terra inteira" (4:1-14).

TEXTO EM CONTEXTO

Dessa forma, ambos os líderes da comunidade devem ser fortalecidos em sua posição, por causa da dimensão de suas tarefas, de seu próprio mau humor ou porque as pessoas se opõem a eles e têm dúvidas a seu respeito. Aqui Yahweh apresenta encorajamento para ambos, de tal forma que pode vir a melhorar sua reputação na visão de outras pessoas ao ouvirem o que Yahweh está dizendo sobre eles. Vocês sabem como o candelabro no templo tem de receber azeite? E sabem como ele brilha, proporcionando luz? Bem, o candelabro representa a luz de Yahweh brilhando. Ele está destinado a brilhar no mundo inteiro. E Zorobabel e Josué são as oliveiras que produzem o azeite para o candelabro. Eles tornam seu brilho possível em razão de seu trabalho com o templo e no templo. Portanto, Zorobabel, não fique desanimado com a montanha de entulhos. Ela desaparecerá. O trabalho será completado, não porque você tem força para isso, mas porque o espírito de Yahweh que está atuando em você tem a força. Dessa forma, se pudermos interpretar a visão anterior e esta visão uma à luz da outra, a pedra naquela visão será a pedra angular do edifício do templo (a pedra de metal é uma ferramenta de construção).

DE **PARA**
Josué ben Jeozadaque   Zacarias
Sumo sacerdote

Ao meu senhor Zacarias ben Berequias:

Tenho refletido sobre a promessa de Yahweh feita a mim, no sentido de que removeria a transgressão do país em um único dia. Quero apelar a Yahweh sobre essa promessa. O trabalho que Zorobabel e eu estamos realizando para reconstruir a cidade está indo muito bem, mas há outro tipo de trabalho de restauração de que ela precisa. Tive de encarar a forma que fui maculado por estar perto demais dos chamados deuses da Babilônia. Mas não fui o único maculado, e muitos judaítas na Babilônia se voltaram a Marduk de bom grado. Afinal de contas, diriam eles, ele derrotou Yahweh em 587, não derrotou? Agora, a situação não é tão diferente assim em Jerusalém. No tempo do meu bisavô, havia pessoas em Jerusalém que buscaram a orientação dos poderes celestiais, e esse tipo de coisa foi o motivo central para Yahweh sair da cidade. E eu não sou ingênuo a ponto de imaginar que ninguém mais pense assim. Dessa forma, há uma transgressão cujo combate preciso assumir a direção, mas, a não ser que Yahweh cumpra o tipo de promessa que fez por meio de Jeremias e Ezequiel, sobre uma mudança na atitude das pessoas, minhas tentativas de pôr ordem na situação não resultarão em nada.

Estou interessado na fidelidade presente nos relacionamentos das pessoas, bem como na fidelidade de seu relacionamento com Yahweh. Na época do meu bisavô, as pessoas sabiam onde sua casa ficava em Jerusalém, pois estavam morando nela, e sabiam qual era sua terra porque estavam cultivando seu alimento nela, embora nem mesmo isso tenha impedido as pessoas inescrupulosas de defraudar pessoas simples de suas terras. Três gerações depois, a situação está impossível. Invasores vieram morar nas ruínas em Jerusalém e as restauraram um pouco e agora dizem que as casas são deles. Então, uma família volta da Babilônia e diz: "Esta é a nossa casa". Como saber se isso é verdade? A administração babilônica disse a pessoas necessitadas para irem cultivar seu alimento em terras abandonadas, e elas fizeram isso e vieram a considerá-la sua terra. Então, uma família volta e diz: "Esta é a nossa terra". Como saber se isso é verdade?

DE ──────────────── **PARA**
Zacarias ben Berequias   Josué ben Jeozadaque

⁵:¹Levantei novamente os olhos e olhei — havia um pergaminho que voava. ²Ele me perguntou: "O que você está vendo?". Eu disse: "Estou vendo um pergaminho que voa. Ele tem nove metros de comprimento e cinco metros de largura". ³Ele me disse: "Este é a maldição que está saindo pela face da

terra inteira. Porque todo aquele que furta (deste lado, de acordo com ele) saiu livre de culpa, e todo aquele que jura (do outro lado, de acordo com ele) saiu livre de culpa. ⁴Eu a estou lançando (uma declaração de Yahweh dos Exércitos) e ela entrará na casa do ladrão e na casa da pessoa que jura pelo meu nome falsamente. Ela ficará na sua casa e a consumirá, tanto suas vigas quanto suas pedras".

⁵O enviado que falava comigo saiu e me disse: "Levante bem os olhos e veja. O que é isto que está saindo"? ⁶Eu perguntei: "O que é?". Ele respondeu: "Isto é o barril que está saindo". E ele disse: "Este é o seu aspecto em toda a terra". ⁷Então uma tampa de chumbo foi levantada, e uma mulher estava sentada dentro do barril. ⁸Ele disse: "Esta é a Impiedade". Ele a empurrou para dentro do barril e o fechou com a tampa de chumbo.

⁹Levantei meus olhos e olhei, e ali havia — duas mulheres sendo levadas com vento em suas asas (tinham asas como de cegonha). Elas levantaram o barril entre o céu e a terra. ¹⁰Perguntei ao enviado que estava falando comigo: "Para onde estão levando o barril?". ¹¹Ele me respondeu: "Elas estão indo construir uma casa para ele na terra de Sinear, que será estabelecido, e ele será colocado ali no seu lugar estabelecido" (5:1-11).

TEXTO EM CONTEXTO

O pergaminho que voa nos faz ter em mente a Torá, que dita o que é certo em questões como honestidade e terra, questões que são imprescindíveis à vida das pessoas e prometem consequências negativas para pessoas que ignoram as obrigações da aliança. O problema é as pessoas serem inocentadas quando, na realidade, furtaram e mentiram no tribunal. Yahweh promete que a Torá desempenhará seu papel: ela assegurará que pessoas culpadas experimentem infortúnio. Então, há a impiedade, que dirige seus olhos a pessoas no país inteiro. Yahweh promete que a impiedade será levada para o seu devido lugar; Sinear é outro nome para Babilônia. Talvez não seja significativo que a personificação da impiedade seja especificamente uma mulher, assim como não é significativo o fato de que a pessoa que acusa Josué seja um homem. Mas é digno de nota que também são figuras femininas que estão se livrando do barril. E o fato de ser uma mulher talvez signifique que a visão seria recebida como uma provocação irônica aos homens na comunidade que se sentem inclinados a orar a outros deuses ou a se casar com mulheres que oram a outros deuses.

DE — Josias ben Sofonias, artesão

PARA — Zacarias

Ao meu senhor Zacarias ben Berequias:

Sou um artesão que trabalha com metal precioso. Esse é o trabalho da minha família há gerações. Eles trabalharam com isso em Jerusalém nos tempos antigos, fabricando joias para as pessoas — colares e anéis. Eles também faziam a manutenção dos itens de ouro e prata no templo. Obviamente, os babilônios levaram embora todos os artesãos, e meus familiares começaram a trabalhar como artesãos na Babilônia. Uma das piores e melhores coisas relativas a isso foi que conseguimos o trabalho de tomar conta das coisas do templo que os babilônios também levaram para lá e colocaram na sala do tesouro de seus próprios deuses. Mas pelo menos sabíamos onde essas coisas se encontravam, e podíamos sonhar em um dia sermos capazes de levá-las de volta. Obviamente, nasci na Babilônia, e meu pai me ensinou o ofício de artesão. Então, agarramo-nos à oportunidade de voltar para Jerusalém e participar do projeto de restauração. Dessa forma, trouxemos as coisas do templo de volta conosco e estamos trabalhando nelas para que estejam prontas quando o trabalho de restauração estiver concluído. Além disso, houve uma quantidade bem significativa de ouro e prata doada pelos judaítas na Babilônia que, por algum motivo, não podiam voltar. Alguns deles eram velhos ou frágeis demais, ou estavam enraizados demais ou em uma situação favorável demais e não queriam voltar, mas ficaram de consciência um pouco pesada. Assim, eles fizeram uma doação.

Conseguimos encontrar a antiga oficina da família na cidade, no porão de nossa antiga casa, que estava tão destruída que nem sequer os invasores se haviam dado o trabalho de ocupá-la. Temos de dedicar muito tempo a torná-la habitável, mas esperávamos ansiosamente trabalhar nas coisas do templo. E as pessoas já estavam começando a se casar e a precisar de anéis, colares e braceletes.

Então, aconteceu uma coisa estranha. Mais três pessoas chegaram à cidade, com mais ouro e prata como doações para o trabalho de Yahweh. Elas disseram que precisavam fazer uma coroa dupla, um círculo de prata e um círculo de ouro. Isso era, em última instância, para Zorobabel, nosso governador. Ele é um descendente de Davi, de forma que se qualifica para ser rei, mas ninguém quer dar a entender que o estamos fazendo rei (por enquanto!). Você sabe os problemas que tivemos quinze anos atrás só porque começamos a reconstruir o templo! Não queremos correr o risco de hostilizar a administração persa local, muito menos o imperador, que teve de lidar com rebeliões em diferentes partes de seu império. Mas esses três homens, Heldai, Tobias e Jedaías, disseram que deveríamos informar você de que eles tinham vindo com essa incumbência e deveríamos lhe perguntar o que todos nós faríamos em seguida.

DE   PARA
Zacarias ben Berequias   Josias ben Sofonias

⁶:¹Levantei meus olhos e olhei, e havia ali — quatro carruagens que saíam do meio de dois montes; os montes eram montes de cobre. ²Na primeira carruagem havia cavalos vermelhos, na segunda carruagem havia cavalos pretos; ³na terceira carruagem havia cavalos brancos, na quarta carruagem havia cavalos malhados, fortes.

⁴Declarei ao enviado que falava comigo: "Quem são estes, meu senhor?". ⁵O enviado me respondeu: "Estes são os quatro ventos dos céus, que estão saindo da presença do Senhor de toda a terra". ⁶A carruagem com os cavalos pretos — eles estavam saindo para a terra do norte. Os brancos saíram depois deles. Os malhados saíram para a terra do sul. ⁷Assim, os fortes saíram. Quando procuraram sair, a fim de percorrer a terra, ele disse: "Percorram, percorram toda a terra". E eles percorreram a terra. ⁸Ele me chamou e me disse: "Veja, os que saíram para a terra do norte deram repouso ao meu espírito na terra do norte".

⁹A palavra de Yahweh veio a mim: ¹⁰"Receba da comunidade exilada, de Heldai, de Tobias e de Jedaías, e você mesmo deverá ir naquele dia, ir à

casa de Josias ben Sofonias, quando eles tiverem chegado da Babilônia: — ¹¹você deverá receber ouro e prata e fazer coroas e colocá-las na cabeça de Josué ben Jeozadaque, o sumo sacerdote, ¹²e lhe dizer: 'Assim disse Yahweh dos Exércitos: Este é o homem cujo nome é Renovo. Ele sairá deste lugar e construirá o palácio de Yahweh. ¹³Ele é aquele que construirá o palácio de Yahweh. Ele é aquele que se revestirá de majestade e se assentará e governará em seu trono. Um sacerdote estará junto ao seu trono, e haverá harmonia entre os dois. ¹⁴Para Heldai, para Tobias, para Jedaías e para Hem ben Sofonias, as coroas serão um memorial no palácio de Yahweh. ¹⁵Pessoas virão de longe e construirão no palácio de Yahweh, e vocês reconhecerão que Yahweh dos Exércitos me enviou a vocês. Isso acontecerá se vocês realmente ouvirem a voz de Yahweh, seu Deus' " (6:1-15).

TEXTO EM CONTEXTO

Os dois montes representam a morada de Yahweh no céu, e os cavalos e carruagens saem como o vento ou saem pela força do sopro/vento/espírito de Yahweh para os quatro cantos do mundo, com o fim de implementar a vontade de Yahweh ali. Exceção feita ao fato de que eles não estão focados em todos os quatro cantos do mundo. No relato dos quatro ventos na visão, a conclusão da história aparece onde, em geral, se encontra, ou seja, no fim. A terra do norte é a Babilônia, onde muitos judaítas ainda vivem. Yahweh não está especialmente satisfeito com o fato de eles estarem contentes em ficar ali. Mas agora seus ajudantes estão estabelecendo seu espírito ali.

A história que vem a seguir relata um resultado. Zacarias deverá convencer Josias a fazer uma coroa dupla com o ouro e a prata que foram trazidos pelos três homens sobre quem Josias escreveu. No tempo devido, a coroa deverá ser colocada na cabeça de Zorobabel, o reconstrutor do templo (de novo é chamado de o palácio de Yahweh). Portanto, agora sabemos a resposta à pergunta remanescente da visão de Zacarias sobre a própria restauração de Josué. Aqui, embora a coroa vá para a cabeça de Josué, realmente é a coroa de Zorobabel. Talvez essa seja uma coroação vicária, e não, de fato, uma coroação do próprio Zorobabel, por causa

> do perigo mencionado por Josias. Mas Zorobabel é o renovo de Davi. Yahweh não diz que ele será rei. Mas ele se sentará em um trono...

DE
Sar-Ezer e Regém-Meleque, de Betel

PARA
Zacarias

Ao nosso senhor Zacarias ben Berequias:

Você reconhecerá que nossos nomes são babilônicos, como o de Zorobabel, e, como ele, pertencemos a famílias que voltaram a Judá quando se viram livres para voltar. Em nosso caso, os remanescentes de nossas famílias ampliadas que não haviam sido forçados a migrar haviam abandonado Jerusalém quando os babilônios destruíram nossa casa, estabelecendo-se em Betel. Por isso voltamos para lá.

Ao longo dos anos, as pessoas em Betel têm estado entre aquelas que lamentam a destruição de Jerusalém e a devastação do templo, jejuando por causa dessas coisas, e os membros de nossa família naturalmente participaram desse lamento e desse jejum. Para algumas das ocasiões de jejum regulares, elas iam a Jerusalém para participar de cerimônias no pátio do templo. Elas usavam as orações em Lamentações para expressar a dor da comunidade. Elas podiam ir caminhando até Jerusalém durante toda a manhã, passar várias horas no templo e voltar andando antes de ficar escuro.

Dessa forma, juntamo-nos a essas pessoas. No entanto, agora a situação aparenta alguma mudança. Vocês de Jerusalém restauraram o altar. Vocês iniciaram o trabalho de reconstrução. Vocês fizeram uma grande celebração. Sabemos que, então, vocês tiveram de parar, mas agora vocês começaram de novo. Dessa forma, as pessoas em Betel nos pediram que perguntássemos a vocês se o tempo do jejum terminou. Aparentemente, as orações dessas pessoas estão justamente sendo respondidas. Ou isso seria tomar as coisas como certas demais? Considerando-se o que aconteceu após o início do trabalho, deveríamos continuar orando e jejuando?

Talvez devêssemos lhe pedir que comentasse ainda sobre outras perguntas relacionadas ao jejum. Quando Israel celebrou festas de louvor no passado, elas podiam ser celebradas por causa de Yahweh, mas também por causa dos participantes dos cultos, pois aquele era um tempo bem prazeroso para eles. E nós também temos nos perguntado se, de forma paradoxal, há perigo equivalente relacionado ao jejum e ao lamento. Talvez isso também seja autogratificação. Isso nos proporciona o meio de expressar nossa tristeza, por causa de nós mesmos. Colocamos tudo para fora. Isso faz com que nos sintamos melhor. Há algo ainda mais preocupante. Havia muito jejum ocorrendo em Jerusalém no tempo de Jeremias, mas ele foi bem irônico sobre esse jejum. Na visão dele, havia uma dissonância entre os atos de lamento e celebração das pessoas e sua vida cotidiana. Dessa forma, o que Yahweh pensa sobre jejum e oração?

DE .... **PARA**
Zacarias ben Berequias   Sar-Ezer e Regém-Meleque

7:4Uma palavra de Yahweh dos Exércitos veio a mim: 5"Pergunte a todo o povo da terra e aos sacerdotes: 'Quando vocês jejuaram e prantearam no quinto e no sétimo mês durante esses setenta anos, foi de fato para mim que jejuaram? 6E quando comem e quando bebem, são vocês que comem e bebem, não são? 7Essas são as palavras que Yahweh proclamou por meio dos profetas antigos, não são, quando Jerusalém era povoada e estava em paz, e as cidades ao redor dela, e o Neguebe e a Planície eram povoados? [...] 9Exerçam autoridade verdadeira, exerçam autoridade, exerçam compromisso e compaixão, cada pessoa para com o seu irmão. 10Não oprimam a viúva e o órfão, o estrangeiro e o humilde. Não tramem maldades, cada pessoa contra o seu irmão na sua mente'. 11Mas eles se recusaram a dar atenção e deram de ombros. Eles impediram os seus ouvidos de ouvir. 12Eles transformaram a sua mente em concreto para não ouvir a lei e as palavras que Yahweh dos Exércitos enviou pelo seu espírito por meio dos profetas antigos, e grande ira veio de Yahweh dos Exércitos. 13Assim como ele chamou, mas eles não ouviram, 'assim eles chamarão e eu não ouvirei', disse Yahweh dos Exércitos. 14'E eu os espalhei por todas as nações que eles não tinham conhecido. Eles abandonaram uma terra devastada para qualquer um que a atravessasse ou a ela voltasse. Eles transformaram uma terra que era estimada em ruínas'". [...]
8:2Assim disse Yahweh dos Exércitos: "Tenho grande zelo por Sião. Sinto intensa paixão por ela". 3Assim disse Yahweh: "Estou voltando para Sião e

habitarei em Jerusalém. Jerusalém será chamada de 'Cidade da Verdade', e o monte de Yahweh dos Exércitos, 'Monte Sagrado'".

⁴Assim disse Yahweh dos Exércitos: "Homens idosos e mulheres idosas voltarão a sentar nas praças de Jerusalém, cada um com sua bengala na mão, por causa do grande número dos seus dias. ⁵As praças das cidades ficarão cheias de meninos e meninas brincando nelas".

⁶Assim disse Yahweh dos Exércitos: "Porque isso será maravilhoso aos olhos do restante deste povo naqueles dias, isso também será maravilhoso aos meus olhos (uma declaração de Yahweh dos Exércitos)?".

⁷Assim disse Yahweh dos Exércitos: "Aqui estou, livrarei o meu povo da terra do oriente e da terra do ocidente, ⁸e os trarei, e eles habitarão em Jerusalém. Eles serão meu povo e eu serei o Deus deles, em verdade e fidelidade" (7:5—8:8).

TEXTO EM CONTEXTO

Inicialmente, a resposta de Yahweh é ameaçadora e desencorajadora; ela confirma os pressentimentos das pessoas que fazem a pergunta. Felizmente, Yahweh não para aqui. Há paixão na exortação de Yahweh, em sua crítica e em seu lembrete do que aconteceu. Mas, então, há claramente uma paixão positiva que envolve a forma que ele se sente agora e suas intenções. Ele transformará Jerusalém em um lugar que se caracteriza pela verdade no lugar do engano; pela alegria no lugar do lamento; pelo ajuntamento no lugar da dispersão. Seu relacionamento com o povo será restaurado. Ele sabe que suas promessas não soam plausíveis, mas ele quer que as pessoas creiam nelas.

DE
Sar-Ezer e Regém-Meleque, de Betel

PARA
Zacarias

Ao nosso senhor Zacarias ben Berequias:

Hum... você confirmou nossas suspeitas. Mas não respondeu à nossa pergunta inicial! Devemos continuar com nosso jejum e com nosso lamento?

As palavras de Yahweh deram origem a outras possibilidades preocupantes. O que acontecerá se as pessoas de fato estiverem envolvidas em culto e em jejum por causa delas mesmas, e não por realmente estarem servindo a Yahweh? O que acontecerá se elas estiverem se portando de forma ímpia umas para com as outras e ignorando viúvas e órfãos que não têm uma grande família, e pessoas comuns que perderam suas terras e os migrantes que nunca tiveram terra alguma? O que acontecerá se as pessoas fecharem os ouvidos agora para não escutar o que a Torá lhes diz sobre essas pessoas? Será que Yahweh voltará a fechar seus ouvidos? Seria essa outra resposta ao jejum e à oração? Quão certo é que os idosos e adolescentes se ajuntarão nas praças de Jerusalém para se divertir? Yahweh realmente trará pessoas de volta de Amom e Moabe, e dos litorais estrangeiros, no Extremo Ocidente?

A pergunta também nos faz pensar nas pessoas lá na Babilônia. Não apenas os judaítas, mas também os babilônios comuns. Quando Jeremias disse à geração de nossos bisavós para se estabelecer ali e se comprometer com a vida na Babilônia, isso foi, em parte, uma forma vívida de tentar fazê-los se acostumar com a ideia de que o domínio babilônico os faria ficar lá por mais tempo do que imaginavam. Mas não apenas isso. Jeremias lhes disse para que orassem pelos babilônios, para que buscassem o que era melhor para eles. E o melhor para eles seria reconhecer que Yahweh é o Deus verdadeiro. Isso acontecerá?

DE
Profeta Zacarias ben Berequias

PARA
Sar-Ezer e Regém-Meleque

8:9 Assim disse Yahweh dos Exércitos: "Tenham mãos fortes, vocês que estão ouvindo nestes dias estas palavras da boca dos profetas que [estavam presentes] no dia em que foi posto o fundamento da casa de Yahweh dos Exércitos, para a construção do palácio. 10Pois, antes daqueles dias, não havia salário para um homem nem para um animal. Para qualquer um que saía ou entrava, não havia paz do adversário. Coloquei os seres humanos cada qual contra seu próximo. 11Mas agora não tratarei o remanescente deste povo como nos dias passados (uma declaração de Yahweh dos Exércitos),

¹²pois a semeadura acontecerá em paz, a videira dará seu fruto, o céu derramará o orvalho e eu farei com que o remanescente deste povo tenha todas essas coisas por direito. ¹³Assim como vocês se tornaram uma maldição entre as nações, casa de Judá e casa de Israel, também os salvarei e vocês se tornarão uma bênção. Não tenham medo. Tenham mãos fortes".

¹⁴Assim disse Yahweh dos Exércitos: "Assim como planejei fazer algo mau a vocês quando os seus antepassados me enfureceram (disse Yahweh dos Exércitos) e não me arrependi, ¹⁵também novamente planejei fazer o bem a Jerusalém e à casa de Judá. Não tenham medo. ¹⁶Estas são as coisas que vocês devem fazer. Falem a verdade cada qual com seu próximo. Exerçam autoridade com autoridade verdadeira que produz paz nas portas da cidade. ¹⁷Não planejem algo mau na mente, cada qual contra seu próximo. Não amem o juramento falso. Porque todas essas são coisas às quais eu sou hostil (declaração de Yahweh)".

¹⁸A palavra de Yahweh dos Exércitos veio a mim. ¹⁹Assim disse Yahweh dos Exércitos: "O jejum do quarto mês, o jejum do quinto mês, o jejum do sétimo mês e o jejum do décimo mês serão, para a casa de Judá, celebração e regozijo, nas suas festas felizes. Por isso amem a verdade e a paz".

²⁰Assim disse Yahweh dos Exércitos: "Povos e habitantes de muitas cidades ainda virão, ²¹e os habitantes de uma cidade irão uns aos outros dizendo: 'Vamos, vamos buscar o favor de Yahweh e buscar Yahweh dos Exércitos. Eu mesmo pretendo ir, certamente'. ²²Muitos povos virão, nações numerosas, para buscar Yahweh dos Exércitos em Jerusalém e buscar a boa vontade de Yahweh".

²³Assim disse Yahweh dos E4xércitos: "Naqueles dias, quando dez homens de todas as línguas das nações agarrarem firmemente a barra das vestes de um judeu, dirão: 'Queremos ir com vocês, pois temos ouvido que Deus está com vocês'" (8:9-23).

TEXTO EM CONTEXTO

Zacarias faz soar o mesmo lembrete que Ageu. Não foi fácil para as pessoas quando começaram a voltar para Jerusalém. Mas elas se dedicaram ao trabalho, e Yahweh honrou isso. E o futuro será extraordinário.

Portanto, continuem com o trabalho de construção, continuem vivendo de forma fiel e demonstrem que Yahweh diz a verdade. A certa altura, Sar-Ezer e Regém-Meleque acabam obtendo uma reação à sua pergunta inicial, embora não seja exatamente uma resposta. Até mesmo agora, sua pergunta se torna um ponto de partida para uma promessa, e não uma instrução, e para outra exortação sobre a verdade e a paz que devem acompanhar o jejum. Eles também recebem uma resposta encorajadora sobre o que acontecerá a pessoas como os babilônios. Eles mesmos não precisam fazer nada em relação a isso. Yahweh mostrará que está ativo no meio deles, e isso atrairá as pessoas.

DE — Jorá ben Parós

PARA — Profeta

Ao meu senhor, o profeta:

Meu avô estava entre os judaítas que voltaram da Babilônia e participaram da reconstrução de Jerusalém e da restauração do templo. Nossa família aparece na lista de pessoas que voltaram, que pertencem à comunidade de Jerusalém. Eu mesmo tenho idade suficiente para me lembrar da empolgação de celebrar a restauração do templo. E Yahweh nos deu a impressão de que o futuro seria excelente após a conclusão do trabalho. Mas as coisas não estão indo bem, e as pessoas nas províncias continuam se ressentindo do trabalho que fizemos, acusando-nos de coisas às autoridades centrais na Pérsia.

Yahweh disse que o grande Zorobabel era o renovo da árvore de Davi que se sentaria em um trono e governaria em Jerusalém, e as pessoas acharam que isso significava que voltaríamos a ter um rei. Sei que ele não disse bem isso, e talvez isso tenha sido sábio. Mas agora Zorobabel está morto. Dessa forma, será que algum dia chegaremos a ter um rei novamente? Teremos alguém que nos conduzirá na batalha para que possamos derrotar os povos que devem submeter-se a Yahweh?

Saber *se* e *quando* Yahweh realmente fará algo em relação aos povos que vivem perto de nós e que nos ameaçam conduz a uma pergunta maior.

Ela me faz refletir sobre o círculo mais amplo de nações à nossa volta — os sírios a nordeste, que outrora fizeram parte do império de Davi, e as grandes nações comerciais de Tiro e de Sidom, a noroeste, que reconheciam Davi, e os filisteus a sudoeste, que também acabaram precisando reconhecê-lo. Esses foram dias gloriosos! Será que esses dias ainda voltarão?

Há mais uma pergunta que, em certo sentido, é ainda mais ampla. Supostamente, Yahweh é Deus do mundo inteiro, não é? Seu poder alcança todas as nações, certo? E ele prometeu trazer o Israel inteiro de volta para sua terra, não é mesmo? Portanto, como fica a situação dos israelitas que estão espalhados pelo mundo inteiro? Não apenas a nordeste, na Babilônia e na Pérsia, mas também no litoral estrangeiro, em todo o Mediterrâneo? Quando os babilônios invadiram Judá, alguns de nossa família ampliada, que achavam que não havia motivo para esperar a cidade cair, tomaram a iniciativa de partir e descer para Jope, embarcando em um navio que os levaria para onde quer que estivesse indo, para que encontrassem refúgio em algum lugar, para começarem uma nova vida. Eles foram parar na Jônia e ainda temos notícias deles, mas eles gastaram tudo o que tinham para atravessar o Mediterrâneo naquele navio esburacado, e seria simplesmente impossível obterem o dinheiro necessário para voltar. Yahweh os resgatará (mesmo que eles não queiram ser resgatados!)?

Expressando a questão de forma ainda mais direta, ainda há algum sinal de vida na aliança que Yahweh fez com Israel como um povo no Sinai, quando eles apresentaram todas aquelas ofertas sacrificiais?

DE	PARA
Profeta	Jorá ben Parós

9:1 A palavra de Yahweh contra a terra de Hadraque
    e Damasco, o local onde se estabeleceram.
Porque o olho das pessoas se dirigirá a Yahweh,
    de todas as tribos de Israel.
²Hamate também, que faz fronteira com ela;
    Tiro e Sidom, porque são muito sábias [...]
⁵ᵃAscalom verá e ficará com medo,
    Gaza se contorcerá muito,

e Ecrom, porque sua confiança terá
    se enfraquecido [...]
⁸Acamparei diante da minha casa como uma guarnição
    contra qualquer um que estiver passando
        ou retornando.
Nunca mais um opressor passará sobre eles
    novamente,
    porque agora eu terei visto com meus olhos.

⁹Celebre muito, sra. Sião;
    exulte, sra. Jerusalém.
Ali, seu rei virá até você;
    ele será fiel e alguém que encontrará livramento,
humilde e montado em um jumento,
    em um asno, cria de jumenta.
¹⁰Eu aniquilarei carros de Efraim
    e cavalos de Jerusalém.
Os arcos de guerra serão eliminados;
    ele falará de paz às nações.
seu domínio se estenderá de mar a mar,
    do Rio até os confins da terra.
¹¹Sim, você [Jerusalém], pelo sangue do seu pacto:
    estou enviando seus cativos.
    Do poço no qual não há água,
        ¹²voltem à fortaleza, prisioneiros esperançosos.
Sim, hoje anunciarei:
    Retribuirei em dobro para vocês.
¹³Pois estou direcionando Judá para mim como um arco,
    estou carregando Efraim.
Levantarei seus filhos, ó Sião,
    contra seus filhos, ó Javã [Grécia] [...]
¹⁶ªYahweh, nosso Deus, os libertará
    naquele dia, como um rebanho, o seu povo [...]
¹⁷ᵇO trigo fará os rapazes florescerem,
    o vinho novo, as moças (9:1,2,5a,8-13,16a,17b).

> ### TEXTO EM CONTEXTO
>
> Yahweh declara que, sim, derrubará os povos que outrora se submetiam a Davi. E, sim, Jerusalém voltará a ter um rei, embora Yahweh não diga que o rei será o conquistador desses povos. O rei montará um jumento, e não um cavalo. O próprio Yahweh aniquilará as máquinas de guerra, em ambas as partes de Israel — tanto em Judá como em Efraim —, bem como em outros lugares. O rei, de fato, governará sobre um império com as dimensões daquele que Davi governou, mas, ao fazê-lo, anunciará paz às nações. Por outro lado, Yahweh usará Judá e Efraim para resgatar os exilados que, do contrário, não seriam capazes de voltar do Mediterrâneo, trazendo-os de volta para a fortaleza Jerusalém. Portanto, eles são prisioneiros com esperança. A implicação talvez não seja que eles mesmos estejam esperançosos, mas, sim, que a promessa de Yahweh está sobre eles. Eles receberão bênção em dobro para compensar todos os anos que estiveram longe de "casa". Porque, sim, a aliança no Sinai, celebrada por sacrifícios, permanece válida, e Yahweh ainda está comprometido com seu povo, com seu rebanho.

DE — Jorá ben Parós

PARA — Profeta

Ao meu senhor, o profeta:

Amo essas promessas grandiosas, mas elas estão extremamente afastadas da realidade atual. Você sabe que precisamos pagar tributos pesados às autoridades persas e, portanto, precisamos de safras decentes de trigo, azeitonas e uvas, usadas para pagar os tributos. Mas não temos tido safras decentes. Essa decepção destoa bastante das promessas regulares de Yahweh, quanto mais da imagem na mensagem de Yahweh a nós agora! As palavras sobre o rei e sobre resgatar seu povo como seu rebanho também são promessas magníficas, mas não fornecem nenhuma sugestão de um cronograma.

Acreditaremos que você falou a palavra de Yahweh e nos agarraremos a essas palavras. No entanto, elas me fazem falar com mais clareza de uma questão relacionada. Temos sacerdotes que apresentam orientações de acordo com a Torá e que nos estimulam a permanecer firmes em nosso relacionamento singular com Yahweh. Também temos outros sacerdotes cuja orientações procedem de algum outro lugar e que nos estimulam a casarmos com os povos vizinhos, pois podemos nos dar ao luxo de termos uma mente aberta e porque isso será bom para os relacionamentos com esses povos. Essas pessoas não estão preocupadas em fazer concessões sobre quem somos como o povo de Yahweh ou sobre corrermos o risco de perder nossa existência como o povo da aliança. Temos profetas que apresentam o que posso reconhecer como a mensagem de Yahweh. Também temos outros profetas que nos dizem o que os planetas e as estrelas supostamente revelam ou aquilo com que eles mesmos sonharam e que estimulam as pessoas a buscar contato com seus entes queridos que faleceram, para saber o que podem dizer-lhes ou como podem aconselhá-las.

Deveria ser o trabalho de nossos líderes controlar esses sacerdotes, profetas e adivinhos. Mas, hoje em dia, nossos líderes parecem estar desprovidos de força moral. Sua fraqueza significa, na prática, que não temos pastor algum. Ou melhor, o que temos são pastores não confiáveis, pois contamos com sacerdotes não confiáveis e profetas não confiáveis (não incluindo você, é claro). Temos pastores que estão mais interessados em explorar as ovelhas do que em cuidar delas e protegê-las. Por causa da falta de líderes ou do caráter não confiável dos pastores que temos, o povo de Yahweh é como um rebanho de ovelhas andando sem rumo, não sabendo onde encontrar pasto e vulnerável a animais selvagens. Salmos 23 diz que ele tem um cajado para guiar as ovelhas e que maneja uma vara para protegê-las, mas minha impressão é que, na realidade, não está fazendo nada disso.

Ademais, a falta de safras decentes significa que as pessoas acabam fazendo empréstimos para pagar seus tributos, o que parece ser duplamente represensível. E as pessoas de quem elas precisam tomar emprestado são esses pastores, pois as pessoas que têm poder também são aquelas que têm dinheiro!

DE	PARA
Profeta	Jorá ben Parós

¹⁰:¹Peça chuva a Yahweh
    durante o tempo de chuva de primavera;
Yahweh é quem envia luzes de relâmpago,
    quem lhes envia um aguaceiro de chuva,
    crescimento nos campos a cada um.

²Porque as imagens anunciaram dificuldades,
    os adivinhadores contemplaram falsidades.
Eles contam sonhos enganadores,
    eles consolam com vazio.
Por isso o povo tem vagueado como um rebanho,
    sofrendo pela falta de um pastor.
³Contra os pastores, minha ira se acendeu,
    e eu castigarei os grandes.

Porque Yahweh dos Exércitos está tomando conta do seu rebanho,
    a casa de Judá.
Ele fará dele
    como seu cavalo majestoso na batalha.
⁴Dele, a pedra angular; dele, a estaca da tenda,
    dele, o arco de batalha,
dele, sairão
    todos os líderes, juntos [...]

⁶Assim, farei da casa de Judá homens fortes,
    e libertarei a casa de José.
Eu os restaurarei, pois tive compaixão
      deles;
    eles serão como se eu nunca os tivesse rejeitado.
Porque eu sou Yahweh,
seu Deus, e eu lhes responderei (10:1-4,6).

¹³:²E naquele dia (uma declaração de Yahweh dos Exércitos) eliminarei os nomes das imagens da terra. Eles nunca mais serão mencionados. Também os profetas e o espírito impuro farei desaparecer da terra. ³E se alguém profetizar novamente, seu pai e sua mãe, que o geraram, dirão: "Você não viverá, porque disse mentiras em nome de Yahweh". Seu pai e sua mãe, que o geraram, o furarão com a faca quando ele profetizar.

⁴Naquele dia os profetas ficarão envergonhados, cada um deles, da sua visão ao profetizar. Eles não usarão um manto de profeta para enganar. ⁵Eles dirão: "Não sou profeta, sou um homem que trabalha na terra, pois um homem me comprou desde a minha mocidade". ⁶Se alguém lhe perguntar: "Que feridas são estas nas suas mãos?", ele responderá: "Fui ferido na casa dos meus amigos" (13:2-6).

TEXTO EM CONTEXTO

As palavras de Yahweh não correspondem ao comentário de Jorá sobre a distância entre promessas e realidade, limitando-se a repetir promessas de boas safras e a acrescentar promessas sobre falsos fornecedores de orientação. A carta de Jorá e as garantias de Yahweh sobre imagens e profetas refletem o fato de a dinâmica da vida em Jerusalém não haver mudado em relação a um período anterior. Jeremias 23 mostra que a maioria dos profetas operava com uma teologia e uma ética que não combinavam com a Torá, expondo o fato de eles compartilharem seus sonhos em vez de apresentarem a palavra de Yahweh. Aqui os profetas também estão secretamente envolvidos com formas de autoflagelação que, de algum modo, poderiam provocar uma experiência religiosa, como os profetas que oram ao Senhor (Baal) e se cortam na história de Elias, confrontando-os em 1Reis 18. A forma de a maioria dos profetas agir é suficiente para fazer muitas pessoas rejeitarem a noção de profecia ou chamá-la de alguma outra coisa ou negar a condição de profetas.

Yahweh reconhece que o edifício chamado Judá precisa de uma pedra angular para ficar de pé. A tenda que é Judá precisa de uma estaca para se manter segura. Ele assegurará o surgimento disso.

DE — Tahan ben Amiúde, o efraimita, escriba

PARA — Profeta

Ao meu senhor, o profeta:

Quando o ouvi mencionar Efraim, o povo no norte, bem, inicialmente, isso soou negativo, mas também deu a entender algo positivo. Yahweh eliminará os carros de Efraim, mas isso é o que ele também fará a Jerusalém como a capital de Judá, sugerindo um reconhecimento de que Efraim ainda existe como povo exatamente da mesma forma que Jerusalém e Judá. Nem todos estão preparados para pensar assim, especialmente pelo fato de termos tido inúmeros problemas com o povo que vive na antiga área de Efraim, os samaritanos, que não têm relação alguma com a real Efraim, de gerações atrás.

Então, Yahweh foi mais específico. Assim como ele encurvará a corda sobre Judá como seu arco, ele também disse que usará Efraim como flecha. Ele usará Efraim junto com Judá quando resgatar as pessoas do extremo ocidente. Ele libertará a casa de José, uma promessa mais ampla que abre o futuro para todas as dez tribos do norte.

E estou empolgado, pois sou efraimita. Um antepassado meu foi um escriba que trabalhou para a administração na Samaria em seus últimos anos como nação. Ele tinha mais noção do que estava acontecendo ali do que a maioria das pessoas, e sua situação econômica era um tanto melhor do que a de muitas pessoas. A história da família relata como ele conseguiu reunir a família antes de os assírios estarem perto demais e fazê-los descer a Judá em uma carroça momentos antes de a fronteira ser fechada. E depois ele conseguiu um trabalho aqui em Jerusalém, treinando seus filhos como escribas, os quais, por sua vez, treinaram seus próprios filhos e assim por diante, e minha impressão é que Jerusalém se tornou uma casa para eles. Obviamente, como meu pai é escriba, alguém com certa habilidade, os babilônios o levaram para a Babilônia, onde nasci, mas eles conseguiram voltar para cá após a queda da Babilônia. No entanto, tecnicamente, ainda somos uma família migrante de Efraim, e não temos direito algum à terra aqui. E ainda não nos esquecemos de onde viemos ou o que aconteceu com nossos parentes que foram levados para a Assíria. Portanto, meus ouvidos notaram sua menção a Efraim, e eu quero saber mais se Yahweh ainda está comprometido conosco.

DE ✉ **PARA**
Profeta   Tahan ben Amiúde

¹⁰:⁷Efraim será como um verdadeiro homem forte;
    o coração deles se alegrará como se fosse com vinho.
Seus filhos verão e se alegrarão;
    seus corações se regozijarão em Yahweh.
⁸Assobiarei para eles e os ajuntarei,
    pois eu os redimi.
Eles serão numerosos, assim como eram numerosos,
    ⁹embora eu os tenha espalhado entre as nações.
Nos lugares remotos, eles se lembrarão de mim;
    eles viverão com seus filhos e voltarão.
¹⁰Eu os farei voltar da terra do Egito,
    e os ajuntarei da Assíria.
Embora eu os leve para a terra de Gileade
        e a do Líbano,
    não haverá espaço para eles.
¹¹Ele passará pelo mar limitante,
    ele derrubará o mar de ondas.
Todas as profundezas do Nilo secarão,
    e a majestade da Assíria será derrubada.
A clava do Egito passará,
    ¹²e eu farei deles homens fortes por meio de
        Yahweh,
    e em nome dele eles marcharão (declaração de Yahweh).

¹¹:¹Abra suas portas, ó Líbano,
    para que o fogo devore seus cedros.
²Agonize, pinheiro, porque o cedro está caindo,
    e os majestosos estão sendo destruídos.
Agonizem, carvalhos de Basã,

pois a floresta fortificada está sendo derrubada.
O gemido dos pastores,
pois sua eminência foi destruída.
³O som do rugido do leão,
pois a majestade do Jordão foi destruída (10:7—11:3).

TEXTO EM CONTEXTO

Yahweh vai, de fato, restaurar Efraim, assim como Judá; a nação do norte, assim como a nação do sul. Eles vão florescer de tal maneira que vão precisar da terra do outro lado do Jordão que Efraim perdeu antes da destruição de Samaria. Yahweh implementará ações para trazer de volta os refugiados da Assíria e do Egito, limpando o terreno do outro lado do Jordão e no vale do Jordão para abrir espaço para eles.

DE — Príncipe → **PARA** — Profeta

Ao meu senhor, o profeta:

Sou um descendente de Davi que poderia, portanto, estar envolvido em pastorear Israel um dia. Por mais de uma razão, vejo-me receoso quanto a essa possibilidade. Yahweh falou a você sobre a restauração tanto de Judá como de Efraim, e o que você disse me faz lembrar as promessas que ele fez a Ezequiel. Yahweh lhe falou sobre fazer os israelitas dispersos voltarem de todos os lugares em que estiverem, e o que você disse me faz lembrar as promessas dele em Isaías.

Mas não está claro que os israelitas dispersos desejam ser reunidos. Os descendentes de Jorá estão bem satisfeitos na Jônia. Os judaítas nas cidades que se situam no centro do império Persa estão bem satisfeitos ali. Eles nasceram lá. Para eles, Jerusalém não passa de um lugar remoto, primitivo e precário nas margens do império. E as pessoas que vivem aqui em Jerusalém, aquelas que nunca foram embora, as outras que voltaram das regiões vizinhas e aquelas ainda como a minha família que quiseram voltar da Babilônia: para elas, não é problema algum ouvir aqueles adivinhos e sonhadores que você mencionou. Elas gostam de se consultar com as imagens dos avós que faleceram e de lhes perguntar o que elas devem fazer.

Isso me assusta, pois não tenho certeza de que Yahweh continuará tolerando essas pessoas, o mesmo tipo que ele não tolerou na época de Ezequiel. Ezequiel apresentou uma bela imagem de Judá e de Efraim como dois gravetos que Yahweh juntaria e transformaria em um só graveto, o que eles deveriam ser. Talvez ele agora quebre esse graveto. Ele disse que faria uma aliança com eles que significaria uma vida extraordinária debaixo do pastoreio do príncipe davídico, mas talvez cancele essa aliança. Você mesmo falou sobre Yahweh derrubar pessoas como os filisteus, mas ele talvez os use para trazer desgraça a nós, como fizeram antes. Talvez, no fim, tenhamos um pastor alternativo que busque satisfazer a si mesmo, do tipo que Ezequiel também conhecia no seu tempo, um pastor que, na realidade, servirá a outros deuses, mesmo que ele não reconheça o que está fazendo.

DE — Profeta

PARA — Príncipe

11:4Yahweh, meu Deus, disse assim: "Cuide do rebanho destinado a ser morto, 5cujos compradores o matarão e não serão responsabilizados, cujos vendedores dirão: 'Bendito seja Yahweh! Eu ficarei rico!' e cujos pastores não terão piedade dele. 6Porque eu não terei mais piedade dos habitantes da terra (declaração de Yahweh). Ali, tornarei as pessoas vulneráveis, cada uma à mão do seu próximo e à mão do seu rei. Eles esmagarão a terra, e eu não a resgatarei da sua mão".

7Assim, pastoreei as ovelhas destinadas a serem mortas, os oprimidos do rebanho. Eu peguei duas varas, chamei a uma "Favor" e à outra "União" e pastoreei as ovelhas. 8Eu me livrei de três pastores em um só mês. Com todo o meu ser eu me cansei deles, e eles com todo o seu ser também me detestavam. 9Por isso eu disse: "Não pastorearei vocês. Que o que morre morra e o que está sendo descartado seja descartado e os que restarem, coma cada um a carne do seu próximo".

10Peguei minha vara "Favor" e a quebrei, violando o pacto que eu havia celebrado com todos os povos. 11Assim, ele foi violado naquele dia, e os oprimidos das ovelhas, que estavam me observando, assim reconheceram que essa palavra era de Yahweh. ¹²Eu lhes disse: "Se for bom aos seus olhos, deem-me o meu salário; se não, fiquem com ele". Eles pesaram o meu salário, trinta moedas de prata. ¹³Yahweh me disse: "Lance isto ao oleiro" (a valorosa magnificência que eu vali para eles). Por isso tomei as trinta moedas de prata e as lancei ao oleiro na casa de Yahweh. ¹⁴E eu quebrei minha segunda vara, "União", para violar a relação de irmãos entre Judá e Israel.

¹⁵Yahweh me disse de novo: "Pegue os utensílios de um pastor insensato. ¹⁶Porque aqui estou, levantarei um pastor na terra que não cuidará das que são abandonadas, não procurará as novas, não curará a ferida e nem sustentará a que está firme, mas comerá a carne da gorda e arrancará as suas patas.

¹⁷Ouçam, pastores sem notoriedade alguma,
   que abandonam o rebanho:
uma espada no seu braço
   e no seu olho direito!
Que o braço dele seque completamente,
   seu olho direito fique totalmente cego!" (11:4-17).

¹³:⁷Ó espada, levante-se contra meu pastor,
     contra um homem que é o meu enviado (uma declaração
       de Yahweh dos Exércitos).
Derrube meu pastor, que as ovelhas se dispersem;
   Voltarei minha mão para as pequenas.
⁸Na terra toda (declaração de Yahweh)
   duas partes dela serão eliminadas, morrerão.
Uma terceira parte permanecerá nela.
   ⁹Mas eu colocarei a terceira no fogo.
Eu a fundirei como se funde a prata,
   eu a testarei como se testa o ouro.
Ela invocará o meu nome,
   e eu mesmo lhe responderei,
eu terei dito: "É o meu povo",
   e ela dirá: "Yahweh é o meu Deus" (13:7-9).

TEXTO EM CONTEXTO

O profeta deve agir como se fosse um pastor. Na prática, Zorobabel havia sido o pastor de Judá, e qualquer governador posterior se caracterizaria como seu pastor. Até onde sabemos, nenhum pastor davídico governou Judá após o tempo de Zorobabel, e não sabemos quem é de fato o governador-pastor agora. Em sua visão, história ou drama, o profeta toma conta do rebanho com suas duas varas e se livra de três outros pastores (talvez pastores enganadores). Mas os acontecimentos confirmam a avaliação feita pelo príncipe do rebanho, e o profeta-pastor, portanto, livra-se das ovelhas sarnentas por um valor que mal vale a pena ficar.

Ao transmitir esse relato de sua incumbência, ele está falando não apenas por causa do príncipe. Como, em geral, é o caso, uma mensagem de Yahweh é relatada por causa de todas as pessoas. Talvez, no caso de escutarem essa incumbência, ela os faça recobrar o juízo. Não seria surpreendente se alguns dos governadores servindo ao rei persa fossem fiéis a Yahweh e ao povo de Judá, e outros, não. O segundo tipo seria de pastores enganadores. Quando Yahweh concede ao profeta a segunda incumbência, de representar o trabalho de um pastor enganador, é ainda mais óbvio que ele está falando isso por causa do povo, embora talvez também por causa de um real pastor enganador, na esperança de que ele venha a dar atenção à ameaça de Yahweh. Do contrário, o rebanho acabará sendo dizimado, embora essas ameaças de Yahweh regularmente pressuponham uma destruição que não é definitiva.

DE — Príncipe

PARA — Profeta

Ao meu senhor, o profeta:

Você ficou sabendo da terrível punhalada que ocorreu em Jerusalém. Não somos uma cidade caracterizada por violência aleatória. Houve ocasiões em que assaltantes apunhalaram alguém ou em que alguém apunhalou um assaltante ou ainda em que um marido traído apunhalou o amante de sua mulher. E, no passado remoto, houve ocasiões de ataque a profetas e de reis sendo assassinados. Mas isso parece pertencer a outro lugar ou a outro tempo.

Isso me leva a perguntar sobre o futuro de Jerusalém. Existem aquelas promessas de paz e felicidade relacionadas à cidade. Elas incluem suas próprias promessas, senhor profeta. As pessoas se assentarão debaixo de sua videira e de sua figueira, e viverão em harmonia e fidelidade umas com as outras. Será que Yahweh ainda está realmente comprometido com Jerusalém? Será que temos força para sustentar o futuro da cidade? Será que Yahweh ainda está comprometido com nossa purificação da mácula de um acontecimento como esse?

E como fica a questão da outra forma de vulnerabilidade da cidade? Ainda estamos periodicamente debaixo da pressão dos outros povos vizinhos. E se eles se unirem e nos atacarem? E se seu objetivo for eliminar a liderança da cidade que remonta a Davi e Levi? O círculo davídico estará suficientemente forte para ficar de pé? E se eles conquistarem a área de Judá à nossa volta, a área que não tem fortalezas, e então bloquearem Jerusalém a partir dessa base?

DE — **PARA**
Profeta — Príncipe

12:1b Uma declaração de Yahweh,
   aquele que estendeu o céu,
que lançou os alicerces da terra,
   que formou o espírito da humanidade dentro dela.

²Ali, farei de Jerusalém uma taça que embriague todos os povos ao seu redor. Também será contra Judá durante o cerco contra Jerusalém.

³Naquele dia, farei de Jerusalém uma pedra difícil de ser levantada para todos os povos. Todos os que a levantarem se machucarão gravemente quando todas as nações da terra se reunirem contra ela.

⁴Naquele dia (declaração de Yahweh), farei todos os cavalos caírem de pânico e os que montam neles, de loucura. Sobre a casa de Judá eu abrirei os meus olhos, mas todos os cavalos dos povos ferirei de cegueira. ⁵As

tribos de Judá dirão a si mesmas: "Os habitantes de Jerusalém são a minha força, por meio de Yahweh dos Exércitos, o seu Deus".
⁶Naquele dia, farei das tribos de Judá como um braseiro no meio de árvores, como uma tocha ardente no meio de feixes. Eles consumirão todos os povos ao seu redor, à direita e à esquerda. E Jerusalém novamente habitará no seu lugar, em Jerusalém. ⁷Yahweh libertará primeiro as tendas de Judá, para que a glória da casa de Davi e a glória da população de Jerusalém não seja maior do que Judá".
⁸Naquele dia Yahweh cobrirá a população de Jerusalém. Alguém que está sujeito a cair será como Davi naquele dia, e a casa de Davi será como deuses, como o enviado de Yahweh que vai adiante deles.
⁹Naquele dia procurarei aniquilar todas as nações que atacarem Jerusalém, ¹⁰mas eu derramarei sobre a casa de Davi e sobre a população de Jerusalém um espírito de graça e de orações por graça. Eles olharão para mim como a alguém que eles traspassaram, e eles o lamentarão com o lamento por um filho único, e expressarão aflição por ele como a aflição por um primogênito.
¹¹Naquele dia haverá grande lamento em Jerusalém, como o lamento por Hadade-Rimom no vale de Megido. ¹²ᵃO país lamentará, família por família em separado [...] ¹³:¹Naquele dia haverá uma fonte aberta para a casa de Davi e para os habitantes de Jerusalém, para sua limpeza e purificação (12:1—13:1).

TEXTO EM CONTEXTO

Yahweh apresenta quatro certezas ao príncipe. Em primeiro lugar, o poder de Yahweh sustenta e assegura o futuro de Jerusalém. Em segundo lugar, Yahweh, portanto, não deixará Jerusalém ser oprimida, até mesmo por pessoas que já obtiveram controle de grande parte de Judá; pelo contrário, sua maquinação contra Jerusalém será a causa de sua própria queda. No período persa, grande parte de "Judá" ficava fora da província de Judá, e uma boa parte estava ocupada pelos edomitas. Em terceiro lugar, Yahweh levará Jerusalém a fazer orações por graça e a lamentar (não sabemos quem é a pessoa que foi apunhalada, ou qual era o lamento por Hadade-Rimom). Em quarto lugar, Yahweh concederá os meios para a purificação da cidade.

DE		PARA
Príncipe		Profeta

Ao meu senhor, o profeta:

Alguns de nós têm-se esforçado arduamente nas prioridades que dizem respeito a você. Temos tentado obter controle de modo que as finanças funcionem e, assim, possamos fazer os pagamentos à capital persa de uma forma que reduza o fardo sobre as pessoas comuns. Temos tentado travar relações mais amistosas com os povos vizinhos, embora não estejamos fazendo muito progresso. Não temos conseguido fazer qualquer coisa quanto às defesas da cidade, e essa insegurança é o que mais me tira o sono à noite. Tenho trabalhado com o sumo sacerdote para tentar obter alguma supervisão dos sacerdotes e melhorar os padrões de educação religiosa, para que possamos afastar as pessoas das práticas tradicionais às quais sempre estão inclinadas a voltar. Mas confesso que fico cansado. E, para mim, é fácil perder de vista o panorama geral e o que Yahweh promete. Será que há uma visão que você pode me apresentar?

DE		PARA
Profeta		Príncipe

14:1Ali, um Dia de Yahweh está vindo, e seu despojo [Jerusalém] será repartido no meio de vocês. 2Trarei todas as nações até Jerusalém para lutar. A cidade será conquistada, as casas serão saqueadas, as mulheres serão violentadas e metade da cidade irá para o exílio. Mas o restante do povo não será eliminado da cidade, 3e Yahweh sairá e guerreará contra essas nações, como guerreia em um dia de combate.

4Naquele dia, seus pés estarão sobre o monte das Oliveiras, que está a leste de Jerusalém. O monte das Oliveiras se dividirá ao meio, de leste a oeste, um enorme desfiladeiro; metade do monte se retirará para o norte; a outra metade, para o sul. 5Vocês fugirão pelo desfiladeiro entre meus montes, pois o desfiladeiro entre os montes se estenderá até Azel. Vocês fugirão como fugiram do terremoto nos dias de Uzias, rei de Judá. Mas Yahweh, o meu Deus, virá — todos os santos estarão com vocês.

⁶Naquele dia, não haverá luz dos gloriosos; eles minguarão. ⁷Haverá um só dia (Yahweh o conhece), não haverá dia e não haverá noite; após anoitecer, haverá luz.

⁸Naquele dia, água viva sairá de Jerusalém, metade dela para o mar do leste, metade dela para o mar do oeste. Isso acontecerá no verão e no inverno. ⁹Yahweh será rei sobre toda a terra.

Naquele dia, Yahweh será um só e seu nome será um só. ¹⁰A terra toda será circular [e será] como a estepe, desde Geba até Rimom, ao sul de Jerusalém, mas ela [Jerusalém] se elevará e permanecerá no seu lugar, desde a Porta de Benjamim até o lugar da Primeira Porta, até a Porta da Esquina, e desde a torre de Hananeel até os lagares do rei. ¹¹As pessoas viverão nelas, e a consagração [à destruição] nunca mais ocorrerá. Jerusalém estará segura.

¹²Esta será a praga que Yahweh imporá a todos os povos que guerrearam contra Jerusalém: fazer a carne de um homem apodrecer enquanto está de pé, seus olhos apodrecerem nas órbitas e sua língua apodrecer na sua boca.

¹³Naquele dia, um grande pânico da parte de Yahweh virá sobre eles. Eles pegarão, cada um, a mão do seu próximo, e a sua mão se levantará contra a mão do seu próximo. ¹⁴Judá também lutará em Jerusalém. Os recursos de todas as nações vizinhas serão ajuntados — ouro, prata e roupas, uma grande quantidade.

¹⁵Essa mesma praga será a que cairá sobre cavalos, mulas, camelos, burros e todos os animais que estiverem naqueles acampamentos. ¹⁶Mas todos os que restarem de todas as nações que atacaram Jerusalém subirão ano após ano para se curvar ao Rei, Yahweh dos Exércitos, e para guardar a festa de Sucote. ¹⁷Todo aquele que não subir das famílias da terra a Jerusalém para se curvar ao Rei, Yahweh dos Exércitos, não receberá chuva. ¹⁸Se a família do Egito não subir e não vier, não haverá chuvas sobre eles; haverá uma praga que Yahweh impõe a todas as nações que não sobem para guardar a festa de Sucote. ¹⁹Essa será [a punição para] a transgressão do Egito e a transgressão de todas as nações que não subiram para guardar a festa de Sucote.

²⁰Naquele dia, estará inscrito nas sinetas de um cavalo "Sagrado para Yahweh". As panelas na casa de Yahweh serão como as bacias diante do altar. ²¹Toda panela em Jerusalém e em Judá será sagrada para Yahweh dos

Exércitos. Todos os que sacrificarem virão e pegarão algumas delas e cozinharão nelas. E nunca mais haverá comerciante na casa de Yahweh dos Exércitos (14:1-21).

> **TEXTO EM CONTEXTO**
>
> Em sua visão, Yahweh não apresenta nenhuma promessa de que o futuro da cidade estará isento de desastres. De fato, haverá um desastre tão terrível quanto aquele trazido pelos babilônios. E, mais uma vez, promete que o desastre não será o fim e que proporcionará a uma parte de seu povo uma forma miraculosa de livramento da opressão (não sabemos onde Azel ficava). Ele e seu séquito celestial estarão lá; haverá abundância miraculosa de luz e água; e Jerusalém será exaltada acima de toda a terra. Não haverá mais "consagração" (a palavra sugere oferecer pessoas a Yahweh, o que, nesse tipo de contexto, significa matá-las). Também para as nações, Yahweh tem uma combinação equivalente de desgraça com promessa. Portanto, elas também participarão do culto da cidade sagrada, que transformará os animais de guerra, os vasos da vida cotidiana e as ocupações comerciais.

12

CARTAS A
MALAQUIAS

Assim como no tempo de Ageu e Zacarias e no tempo de Esdras e Neemias, as pessoas no tempo de Malaquias têm um "governador" (1:8) que as supervisiona. Essa é uma indicação concreta de que Malaquias também está situado no período persa e que a ordem nos Doze Manuscritos posiciona Malaquias em um lugar plausível entre os Doze Profetas, ou seja, no fim.

DE — **PARA**
Hadassa bat Pedaías, Malaquias
da tribo de Simeão

Ao meu senhor Malaquias, em Jerusalém:

Há algum tempo, minha bisavó Judite bat Jaquim escreveu ao seu colega Obadias sobre a forma de os edomitas estarem ocupando cada vez mais nossa terra no Neguebe, e Obadias nos relatou uma promessa feita por Yahweh de que a situação seria revertida. Ao longo dos anos, nossa família tem apreciado a resposta de Obadias. Nós a estimamos por causa do que era: quem diria que teríamos uma carta com uma mensagem de Yahweh! Também a estimamos por causa de seu conteúdo. Mas, desde então, tem acontecido o oposto do que ela prometeu. Os edomitas estão ocupando cada vez mais da terra. Minha família precisou mudar-se mais para o norte, para uma área perto de Belém, para alguma terra que os judaítas tenham abandonado na época da invasão babilônica. Somos capazes de nos virar vivendo em lugares abandonados, mas isso não sugere exatamente que Yahweh esteja sendo leal a nós e cuidando de nós da forma que a Torá promete.

DE — **PARA**
Profeta Malaquias Hadassa bat Pedaías,
da tribo de Simeão

¹:²"Tenho sido leal a vocês", disse Yahweh. Mas vocês perguntam: "De que maneira foste leal a nós?". "Esaú era o irmão de Jacó, não era (declaração de Yahweh)? Mas fui leal a Jacó ³e hostil com Esaú. Estou fazendo das montanhas dele uma devastação, fazendo sua herança pertencer a chacais do deserto". ⁴Pois Edom diz: "Fomos esmagados, mas reconstruiremos as ruínas", assim disse Yahweh dos Exércitos: "Essas pessoas podem construir, mas eu demolirei". Elas serão chamadas de "Território da Impiedade" e "Povo que Yahweh Condenou para Sempre". ⁵Os próprios olhos de vocês o verão. Vocês mesmos dirão: "Yahweh é grande, além do território de Israel" (1:2-5).

TEXTO EM CONTEXTO

Yahweh insta Hadassa a recordar os fatos que acometeram seus antepassados de muito tempo atrás e, com base nisso, a crer que ele está agindo para derrubar Edom e restaurar o território de Israel a ele, mesmo que ainda não haja nada a ser visto.

DE
Seal ben Telem,
o levita

PARA
Profeta Malaquias

Ao meu senhor Malaquias:

Como levita, estou envolvido ativamente com as coisas que ocorrem no templo. Não participo do que envolve, de fato, fazer o sacrifício, aspergir o sangue e assim por diante, mas estou envolvido em ajudar as pessoas que trazem os sacrifícios, em preparar as coisas e deixar tudo limpo depois, além de resolver as coisas caso deem errado. Abro as portas logo de manhã e reacendo o fogo no altar. Mantenho o fogo durante o dia e fecho o santuário após o sacrifício noturno. Dessa forma, nós, levitas, que não somos sacerdotes no sentido exato do termo, estamos perto dos sacerdotes em suas tarefas, e os ouvimos falando entre si antes e depois das cerimônias. E me sinto incomodado com sua forma de falar. É como se eles tivessem se esquecido da seriedade do que eles estão fazendo e da importância disso e do privilégio daquilo com que todos nós estamos ocupados. Suponho que essa seja uma tentação inevitável para qualquer pessoa que está envolvida profissionalmente em atividades religiosas.

Seja como for, os sacerdotes também têm-se tornado relaxados na qualidade dos animais que estão prontos para apresentar nos sacrifícios. Quando alguém traz uma ovelha defeituosa, eles dizem à pessoa: "Sem problema, não importa, não deixa de ser uma ovelha". Eles adotam essa atitude especialmente no caso de a pessoa ser alguém importante, alguém que, na realidade, deveria ter condições de proporcionar algo de boa qualidade.

Os sacerdotes não veem a si mesmos como insultando Yahweh, mas, na realidade, é isso que eles estão fazendo. Eles abandonaram a noção de que somente o melhor é suficientemente bom para Yahweh.

Contudo, a aliança que Yahweh fez com nosso antepassado Levi se aplica a mim, bem como aos sacerdotes de verdade, e eu me pergunto se eles não estão colocando em risco a posição de nossa tribo para todos nós. Pergunto-me se Yahweh deixará de atuar pelas bênçãos que os sacerdotes pronunciam sobre nós ao dizerem: "Yahweh te abençoe e te guarde, Yahweh faça resplandecer o seu rosto sobre ti e te conceda graça, Yahweh levante o seu rosto sobre ti e te dê bem-estar". O que você acha?

DE
Profeta Malaquias

PARA
Seal ben Telem,
o levita

¹:⁶"Um filho honra seu pai, um servo, o seu senhor. Se eu sou pai, onde está a honra que me é devida?" Se eu sou SENHOR, onde está o temor que me é devido?", disse Yahweh dos Exércitos a vocês, sacerdotes que desprezam o meu nome. Vocês perguntam: "De que maneira temos desprezado o seu nome?". ⁷Vocês estão apresentando comida impura sobre o meu altar. Vocês perguntam: "De que maneira temos te desonrado?" Ao dizerem: "A mesa de Yahweh pode ser desprezada". ⁸Quando vocês trazem algo cego para sacrificar, não há mal algum. Quando vocês trazem algo aleijado ou doente, não há mal algum. Vão e o apresentem ao seu governador. Será que ele se agradará de vocês? Será que ele os atenderá? (disse Yahweh dos Exércitos). ⁹Agora, vão buscar a boa vontade de Deus para que ele demonstre seu favor a nós. Isso veio das mãos de vocês. Será que ele atenderá a qualquer um de vocês? (disse Yahweh dos Exércitos).

¹⁰Quem por acaso há entre vocês que fechará as portas e não acenderá fogo sobre meu altar inutilmente! Não tenho prazer em vocês (disse Yahweh dos Exércitos) e não aceitarei oferta de sua mão.

¹¹Pois do nascente ao poente, grande é o meu nome entre as nações e em toda parte incenso é oferecido ao meu nome, e uma oferta pura, porque grande é o meu nome entre as nações (disse Yahweh dos Exércitos). ¹²Mas vocês o estão profanando ao dizerem: "A mesa do Senhor é impura, e seu fruto, sua comida, podem ser desprezados ¹³ou ao dizerem: "Que canseira", e riem dela

com desprezo (disse Yahweh dos Exércitos) ou trazem algo roubado, aleijado ou doente, e o trazem como oferta. Deveria eu aceitá-lo das suas mãos? (disse Yahweh). ¹⁴Maldito seja o enganador quando há um macho no seu rebanho, mas ele promete e sacrifica ao Senhor algo defeituoso. Pois eu sou um grande rei (disse Yahweh dos Exércitos) e o meu nome é temido entre as nações.

²:¹Assim, agora a vocês sacerdotes, vai esta ordem. ²Se vocês não ouvirem e não o receberem na mente para honrar o meu nome (disse Yahweh dos Exércitos), enviarei uma maldição contra vocês. Amaldiçoarei as suas bênçãos. Aliás, já as amaldiçoei, pois vocês não o recebem na mente. ³Aqui estou, eu repreenderei a sua semente. Esfregarei excrementos na cara de vocês, os excrementos dos sacrifícios das suas festas. Alguém os lançará fora aos excrementos. ⁴E vocês reconhecerão que fui eu que enviei essa ordem a vocês para que o meu pacto com Levi pudesse existir (disse Yahweh dos Exércitos). ⁵Meu pacto com ele foi de vida e bem-estar, e os dei a ele, com temor. Ele me temia. Ele tremia por causa do meu nome.

⁶A verdadeira instrução estava na sua boca;
 nenhum mal era achado nos seus lábios.
Em bem-estar e retidão ele andou comigo,
 e ele afastou muitos da transgressão.
⁷Porque os lábios de um sacerdote guardam o conhecimento;
 as pessoas procuram instrução da sua boca,
porque ele é um enviado de Yahweh dos Exércitos.

⁸Mas vocês se desviaram do caminho. Vocês fizeram muitas pessoas caírem pela sua instrução. Vocês destruíram o pacto de Levi (disse Yahweh dos Exércitos). ⁹Eu por minha vez estou tornando vocês desprezíveis e humilhados para todo o povo, pelo fato de vocês não guardarem os meus caminhos, mas vocês são parciais na instrução" (1:6—2:9).

Em grande parte do Oriente Médio e do mundo mediterrâneo, havia judaítas que não voltaram para Israel quando tiveram a oportunidade, mas eles estavam apresentando ofertas onde viviam, e a afirmação espantosa de Yahweh é que suas ofertas, que não estariam à altura dos sacrifícios que os sacerdotes apresentavam no templo em Jerusalém, na realidade glorificavam mais a Yahweh. De fato, Seal tem algo com que deve preocupar-se.

DE — Naomi bat Joiada **PARA** Malaquias

Ao meu senhor Malaquias:

Estou escrevendo a você porque não tenho mais ninguém a quem possa me voltar. Meu marido, Jônatas ben Elnatã, um sacerdote, expulsou-me de casa. Tenho quase quarenta anos e não tenho conseguido engravidar. Tentamos repetidas vezes, mas nunca fiquei grávida. Tenho minhas menstruações mensais e, portanto, deveria ficar grávida, mas nunca fiquei. Para dizer a verdade, eu fiquei. Quando eu tinha vinte e poucos anos, acho que fiquei grávida duas vezes, mas então perdi o bebê nas duas ocasiões. Por fim, meu marido fez o que muitos homens nessa situação fazem: tomou outra mulher para poder ter um filho com ela. Foi uma situação dolorosa para mim, mas eu não poderia repreendê-lo. Reconheço que precisamos de alguém que cuide de nós na velhice.

Dessa forma, ele contratou uma moça com os pais dela que ajudaria com a casa e com o trabalho e então eles se casariam, e ela aceitou o acordo. Obviamente, o fato de ela ser uma moça atraente foi difícil para mim. Mas o que realmente não consegui tolerar foi o fato de ela ser uma moabita. Um de seus antepassados havia lutado aqui durante a campanha babilônica em Judá, e ele havia gostado daqui e trazido sua família para cá após a queda de Jerusalém, quando os babilônios incentivaram essa prática. Poderia não ter sido tão ruim se eles realmente tivessese adaptado ao novo ambiente, mas eles continuaram se reunindo com outros moabitas e orando a Camos, o deus moabita. E Jônatas é sacerdote, e ele deixa isso acontecer!

Portanto, o relacionamento dele com essa moça se tornou um grande problema entre nós, o que nos levava a discutir com frequência. E ela acabou engravidando, e seu bebê nasceu, e ela começou a agir como se fosse superior. Continuamos com nossas discussões, até que ele acabou dizendo que estava cansado da situação e simplesmente estava me expulsando e que eu poderia ir morar com meu irmão e a mulher dele.

Ele pode fazer isso?

DE — Profeta Malaquias
PARA — Naomi bat Joiada

2:10Todos nós temos o mesmo Pai, não temos? Fomos criados pelo mesmo Deus, não fomos? Por que então somos infiéis, cada um ao seu irmão, ao considerarmos o pacto dos nossos antepassados como algo ordinário? 11Judá tem sido infiel. Uma ofensa foi cometida em Israel e em Jerusalém, pois Judá tratou como ordinário o que é sagrado para Yahweh, ao que ele é leal, e se casou com a filha de um deus estrangeiro. 12Que Yahweh elimine a pessoa que faz isso (qualquer um que se levante e qualquer um que responda) das tendas de Jacó, mesmo que apresente uma oferta de Yahweh dos Exércitos.

13E há uma segunda coisa que vocês fazem, cobrindo o altar de Yahweh de lágrimas, chorando e gemendo porque ele já não está dando atenção às suas ofertas ou nem as aceitando da sua mão, 14e vocês têm dito: "Por quê?" É porque Yahweh é testemunha entre vocês — entre você e a mulher da sua juventude, a quem você foi infiel, quando ela era a sua companheira e a mulher da sua aliança. 15Não foi o Um [Único] que nos fez? E o restante do Espírito não é dele? E o que o Um está buscando? Uma descendência santa. Portanto, guardem-se no espírito. Ninguém deve ser infiel à mulher de sua juventude. 16Quando ele é hostil a ponto de se divorciar (disse Yahweh dos Exércitos), cobre sua veste com violência (disse Yahweh dos Exércitos). Por isso, guardem-se no espírito e não sejam infiéis (2:10-16).

TEXTO EM CONTEXTO

Dessa forma, a resposta curta é: "Não, ele não pode". Vários princípios estão envolvidos. Além de serem marido e mulher, essas duas pessoas são irmão e irmã na família de Yahweh; essa é uma razão. A natureza sagrada de Israel é outra. O fato de Jônatas ter feito uma promessa é outra. Obviamente, para Jôntas e Naomi, há uma ironia e mais uma aflição no fato de que eles teriam apreciado imensamente a oportunidade de ter e criar filhos santos. A vida é complicada.

DE — Naomi bat Joiada **PARA** Malaquias

Ao meu senhor Malaquias:

Sou grata por seu apoio, mas, aparentemente, isso não fará diferença alguma. Isso não fará Jônatas me receber de volta. Na realidade, eu não gostaria de voltar agora. E o argumento que você apresentou não o fará me sustentar. Ele pode afirmar que agora tem uma mulher e um bebê, e que eu ficarei bem com a família do meu irmão.

Mas essa situação me deixa desapontada. Tenho sido fiel a Yahweh durante toda a minha vida. Fiz questão de que pagássemos nossos dízimos. Guardamos o sábado. Inúmeras vezes fui ao templo com pequenas ofertas, para acompanhar minhas orações, de modo que eu conseguisse engravidar, mas isso não funcionou. E conheço mulheres que, supostamente, estavam comprometidas com Yahweh e que também estavam se consultando secretamente com alguém que havia morrido, talvez uma avó, ou até mesmo apresentando ofertas secretas a outros deuses, e elas continuaram tendo filhos. Yahweh simplesmente não parece ser justo.

DE — Profeta Malaquias **PARA** Naomi bat Joiada

2:17Vocês têm cansado Yahweh com suas palavras. Vocês perguntaram: "Como o temos cansado?". Quando dizem: "Todos os que fazem algo mau são bons aos olhos de Yahweh. Ele se agrada deles". Ou: "Onde está o Deus que exerce autoridade?".

3:1a"Aqui estou, enviarei meu enviado, e ele preparará o caminho diante de mim". De repente, virá para seu palácio o Senhor que vocês estão buscando.

CARTAS A MALAQUIAS

231

³:¹ᵇAssim, o enviado do pacto a quem vocês desejam — eis que ele está vindo (disse Yahweh dos Exércitos). ²Quem suportará quando ele aparecer? Porque ele será como o fogo de um fundidor ou como o sabão do lavandeiro. ³Ele se assentará fundindo e purificando prata. Ele purificará os levitas e os refinará como ouro e prata, e eles serão de Yahweh, um povo que traz uma oferta com fidelidade. ⁴As ofertas de Judá e Jerusalém agradarão a Yahweh como nos dias passados, em anos antigos (2:17—3:4).

TEXTO EM CONTEXTO

Naomi não disse "todos", mas é tentador tornar nossa experiência o único fato que conta. Mas, quando a vida não se desenrola da forma que a Torá e Provérbios prometem, é preciso lembrarmos que eles, implicitamente, apresentam generalizações, e não verdades universais. Outra resposta é aquela com que Malaquias começou: a história do que Deus fez nos proporciona pistas centrais para a verdade real. Mas a resposta que Yahweh nos apresenta aqui é que pretende fazer as coisas darem certo para seu povo. Essa é uma advertência a Jônatas ou (de um modo estranho) uma promessa a Naomi, de que, como membro do sacerdócio, ele será "fundido" (3:3).

DE — PARA
Seal ben Telem,   Malaquias
o levita

Ao meu senhor Malaquias:

Há mais uma coisa que percebo como levita. Ela afeta a todos nós como levitas, e afeta os sacerdotes, mas também afeta as pessoas necessitadas na cidade. A comunidade não é boa em trazer seus dízimos. O sistema deveria funcionar assim: eles trazem um décimo de sua produção, um a cada dez cordeiros gerados por suas ovelhas, um em cada dez dos potes fabricados por eles e assim por diante — ou uma quantia equivalente em prata. Mas as pessoas são relaxadas nisso. De certa forma, não podemos repreendê-las. São tempos difíceis e, algumas vezes, a safra acaba não sendo muito boa, e as pessoas têm de pagar tributos à administração do governo, bem como dízimos, parcialmente pelo fato de a administração ter de enviar tributos à capital persa, em Susã.

Mas um dos propósitos dos dízimos é prover as pessoas que não podem cultivar seu próprio alimento ou criar suas próprias ovelhas, por não terem sua própria terra. Portanto, há consequências graves de um déficit nos dízimos. Obviamente, experimento essas consequências em minha própria vida, pois me alcançam como um levita, envolvido no ministério. Mas também sinto pena de outras pessoas que não podem cultivar seu próprio alimento ou criar seus próprios animais. Isso inclui o tipo de pessoa que veio viver aqui por ter precisado deixar seu próprio país (talvez sejam escravos que fugiram). Isso inclui viúvas e órfãos que perderam o controle da terra da família e não foram adotados em uma família. Sem dízimos, essas pessoas passam fome.

DE
Profeta Malaquias

PARA
Seal ben Telem,
o levita

3:6Porque sou Yahweh, não mudei, e vocês são os descendentes de Jacó, vocês não foram destruídos. 7Porque desde os dias dos seus antepassados vocês se desviaram das minhas leis e não as guardaram: voltem para mim e eu voltarei para vocês (disse Yahweh dos Exércitos).

Vocês perguntarão: "Como voltaremos?". 8Pode um homem defraudar a Deus? Porque vocês estão me defraudando. Vocês perguntarão: "Como é que te defraudamos?". No dízimo e nas ofertas. 9Vocês estão debaixo de maldição, e estão me defraudando — a nação, toda ela. 10Tragam todo o dízimo ao depósito, para que haja alimento em minha casa, e ponham-me à prova com isso e vejam (disse Yahweh dos Exércitos) se não vou abrir as comportas do céu e derramar tantas bênçãos sobre vocês até não haver mais necessidade. 11Eu repreenderei o devorador por vocês, e ele não destruirá o fruto da terra de vocês, e a videira de vocês no campo não falhará (disse Yahweh dos Exércitos). 12Todas as nações os considerarão bem-aventurados, pois vocês serão uma terra aprazível (disse Yahweh dos Exércitos) (3:6-12).

CARTAS A MALAQUIAS

TEXTO EM CONTEXTO

Perto do fim da compilação das pequenas mensagens de Malaquias, a declaração de Yahweh se assemelha à do início, sobre seu compromisso com "Jacó". Eles haviam dito que ele não passava a impressão de estar comprometido com eles; agora, na troca de opiniões completa e livre que caracteriza essas mensagens, Yahweh devolve o "elogio". Há dois aspectos relevantes na questão dos dízimos. Os dízimos são uma forma de os israelitas apoiarem o ministério no templo. E são uma forma de eles cuidarem das pessoas necessitadas que não têm sua própria terra, onde possam cultivar coisas ou criar animais. E são uma expressão do reconhecimento dirigido pelo povo a Deus como o doador de tudo o que eles têm. A pressão sobre os israelitas significa que eles estão falhando em todas as direções. O desafio de Yahweh é que eles deem com a convicção de que receberão.

DE — Semaías ben Elnatã, *escriba*

PARA — Malaquias

Ao meu senhor Malaquias:

Sou escriba de um documento comemorativo que está na posse de pessoas que voltaram da Babilônia e estão extremamente gratas a Yahweh pelo fato de terem conseguido voltar. Existem várias coisas sobre o registro. Ele significa que nossos nomes estão anotados ali, com os nomes de nossas famílias, e que o atualizamos com um registro de quando alguém morre e de quando alguém nasce. Incluímos nele acontecimentos como uma cura extraordinária ou alguma resposta às orações.

 Estou escrevendo porque nos perguntamos se isso teria alguma utilidade para outras pessoas. Sabemos que há pessoas que estão se sentindo desestimuladas a servir a Yahweh. Elas acham que servir a Yahweh é inútil e que seria melhor não se preocuparem com isso. E, desse modo, tentaram Yahweh a puni-las, mas elas foram poupadas. Essa situação nos deixa tristes, e gostaríamos de saber como elas podem ser trazidas de volta a Yahweh e se nosso documento poderia ajudar.

DE — Profeta Malaquias   **PARA** — Semaías ben Elnatã

³:¹³"Vocês têm dito palavras fortes contra mim (disse Yahweh dos Exércitos). Vocês perguntarão: 'O que nós temos falado entre nós contra ti?'. ¹⁴Vocês têm dito: 'Servir a Deus não dá resultados'. O que ganhamos quando guardamos a sua instrução e andamos com tristeza diante de Yahweh dos Exércitos? ¹⁵Por isso, agora consideramos bem-aventurados os arrogantes. Aqueles que agem com impiedade tanto foram fortalecidos como também puseram Deus à prova e escaparam".

¹⁶Então aqueles que temiam a Yahweh falaram, cada um com o seu próximo, e Yahweh prestou atenção e ouviu, e um pergaminho foi escrito como memorial diante dele acerca daqueles que temiam a Yahweh e estimavam o seu nome. ¹⁷"Eles serão para mim uma posse especial (disse Yahweh dos Exércitos) para o dia que estou preparando. Eu terei pena deles como alguém sente pena de seu filho que o serve. ¹⁸Vocês serão novamente a diferença entre o fiel e o ímpio, entre aquele que serve a Deus e aquele que não o serviu.

⁴:¹Porque eis — o dia está vindo, ardente como um forno, quando todos os arrogantes e todos aqueles que agem impiamente serão palha, e o dia que está vindo os consumirá com fogo (disse Yahweh dos Exércitos) de tal modo que não sobrará raiz nem galho. ²Mas nascerá para vocês, que temem meu nome, um sol fiel com cura em seus raios. Vocês sairão e saltarão como bezerros bem-alimentados. ³Vocês pisarão os ímpios, pois eles serão cinzas debaixo da sola de seus pés, no dia que estou preparando (disse Yahweh dos Exércitos).

⁴Lembrem-se da instrução de Moisés, o meu servo, que lhe ordenei para todo o Israel em Horebe, leis e decretos. ⁵Vejam, estou lhes enviando Elias, o profeta, antes da vinda do grande e temível Dia de Yahweh. ⁶Ele fará a mente dos pais se voltar para os filhos e a mente dos filhos para os pais, para que eu não venha e fira a terra com 'consagração'" (3:13—4:6).

TEXTO EM CONTEXTO

Não sei se aquele pergaminho poderia ser útil ou não para as pessoas que estão se sentindo desestimuladas. Afinal de contas, o que ajuda essas pessoas? Mas, de fato, Yahweh comenta o quanto o pergaminho lhe agrada. E o fato de serem as pessoas que são os manterá bem no dia em que Yahweh agir.

Quer o pergaminho deles tenha alguma utilidade para os desestimulados, quer não, o ministério de Elias produzirá restauração neles. Mas então, de forma solene, a última palavra dos Doze Profetas (e, portanto, a última palavra no Primeiro Testamento) é aquela palavra "consagração", a palavra para oferecer pessoas a Yahweh, o que, nesse contexto, significa matá-las, como se fossem um sacrifício. O último capítulo de Zacarias havia prometido um dia em que isso não voltaria a ocorrer, mas Malaquias não quer que as pessoas fiquem tranquilas demais. Quando os judeus leem as Escrituras, repetem a promessa anterior: "Vejam, estou lhes enviando Elias, o profeta, antes da vinda do grande e temível Dia de Yahweh". Se as pessoas derem atenção a essa mensagem, então essa consagração desaparecerá por completo.

E se você está lendo o Primeiro Testamento no contexto do Novo Testamento, então, apenas algumas páginas depois, alguém parecido com Elias aparece (veja Mateus 3).

UMA ÚLTIMA CARTA AOS PROFETAS

Quanto mais lemos as suas profecias, mais exóticas se tornam. Fico curioso para saber o que vocês mesmos achavam delas, qual era a visão de vocês do futuro e como devemos ver tudo isso?

Talvez possamos abordar essa questão considerando suas ameaças, bem como suas promessas, suas análises do presente e suas projeções sobre o futuro. Vocês eram constantemente exagerados, embora Isaías, Jeremias e Ezequiel também o fossem. Vocês exageravam a natureza da transgressão das pessoas e a dramatizavam demais. Vocês faziam o mesmo com as intenções de Yahweh, quer estivessem repetindo ameaças ou promessas, quer não. Essas hipérboles fazem alguns leitores não prestarem atenção; eles preferem informações passíveis de verificação factual. Elas fazem outros leitores prestarem atenção. A impressão que me é passada é que os influenciadores e formadores de opinião na comunidade judaica eram o segundo tipo de leitor. Eles foram persuadidos de que Yahweh realmente falou a vocês e que a comunidade deveria agarrar-se a essas mensagens. E Jesus e os autores do Novo Testamento concordaram com eles.

Tanto as análises como as ameaças foram exageros, mas foram exageros de algo que era real, e não uma fantasia sobre algo que era irreal. De fato, os assírios aniquilaram Samaria. Os babilônios, de fato, conquistaram Jerusalém.

Algo paralelo é o que ocorre em suas promessas. Vocês tornaram possível que os judaítas voltassem da Babilônia e restaurassem o templo, fazendo um príncipe davídico ser designado como governador de Jerusalém. Como a desgraça não foi uma desgraça tão terrível quanto aquela apresentada por vocês, a renovação não foi tão magnífica quanto vocês apresentaram; mas esses acontecimentos não deixaram de ser algo concreto e real.

Tanto a ação como a concretização de profecias aquém do anunciado foram manifestações significativas de quem é Yahweh. Isso é mais óbvio no caso da desgraça. Foi moralmente (e talvez teologicamente) necessário que Yahweh disciplinasse o povo; isso refletiu algo de quem ele é. Mas também foi teologicamente (e talvez moralmente) necessário Yahweh não o destruir; isso refletiu algo de quem ele é. Da mesma forma, foi teologicamente (e talvez moralmente) necessário Yahweh restaurar o povo; isso também refletiu algo de quem ele é.

Ao falarem sobre desgraça ou restauração, era possível dizer que vocês estavam falando sobre o Dia de Yahweh, não importa se tenham usado ou não essa expressão. E o que, de fato, aconteceu como cumprimento de suas ameaças ou promessas foi realmente *um* Dia de Yahweh — se não *o* Dia de Yahweh. Isso foi uma expressão parcial em um momento particular de uma expressão total que um dia virá. Vocês nos convidam para viver à luz do tipo de descrição que apresentam, algo capaz de nos preparar para *um* Dia de Yahweh. Isso também pode preparar-nos para *o* Dia de Yahweh.

ÍNDICE DE PASSAGENS DOS DOZE PROFETAS

Oseias
1:2-9 20
1:7,11 63
2:2-13 23
2:14-23 27
3:1-5 27
4:6-9 30
4:12 50
4:13-14 27
4:15-17 47
5:4-7 30
5:5 62
5:8-12 33
5:12 62
5:13,14 36
5:14 62
6:4 63
6:4-11 40
6:10-11 63
7:3-7 43
7:8-16 59
8:1-4 43
8:4-6 50
8:8-10 37
8:11-13 40
8:14 37
9:1-6 47
9:7-9 31
9:10-15 47
10:3-4 44
10:5-6 50
10:7-8 44
10:12 34
11:1-11 53
11:12—12:2 63
12:2-8 56
12:9-11 48
12:12-14 56
13:1-3 51
13:9-11 44
13:14 34
14:1-9 65

Joel
2:1-2,12-17 69
2:18-20,23-29 73
2:30—3:18 76

Amós
2:4-5 111
2:6-16 86
3:1-8 126
3:13-15 105
4:1-3 106
4:2-5 92
4:6-12 95
4:13 82
5:4-6 92
5:7-9 82
5:11-15 99
5:18-20 102
5:21-25 92
6:1-3 106
6:4-6 99
6:12-14 103
7:1-9 108
7:14-17 90
8:1-2 109
8:4-7 100
8:10 102
8:11-14 96
9:1,4 106
9:5-6 82
9:7-8 87
9:8-15 111

Obadias
1-21 116

Jonas
1:1-17 122
2:2-9 124
3:1—4:11 126

Miqueias
2:1-7,10-11 131
3:1-12 134
4:1-10 138
5:2-4 139
5:9-14 141
6:6-8 142
6:10-16 142
7:1-9,17-20 144

Naum
1:2-7 149
2:6-8 149
3:1-7,18-19 151

Habacuque
1:5-11 155
2:3-20 156
3:3-19 159

Sofonias
1:4-17 163
2:3 164
2:4—3:10 167
3:11-20 170

Ageu
1:4-11 176
2:3-9 178
2:11-23 180

Zacarias
1:7-17 185
1:18—2:13 188
3:1-10 190
4:1-14 193
5:1-11 195
6:1-15 198
7:4—8:8 201
8:9-23 203
9:1-17 206
10:1-6 210
10:7—11:3 213
11:4-17 215
12:1—13:1 218
13:2-6 211
13:7-9 216
14:1-21 220

Malaquias
1:2-5 224
1:6—2:9 226
2:10-16 229
2:17—3:4 230
3:6-12 232
3:13—4:6 234

Este livro foi impresso pela Vozes, em 2024,
para a Thomas Nelson Brasil. O papel do miolo é
avena 70g/m², e o da capa é cartão 250g/m².